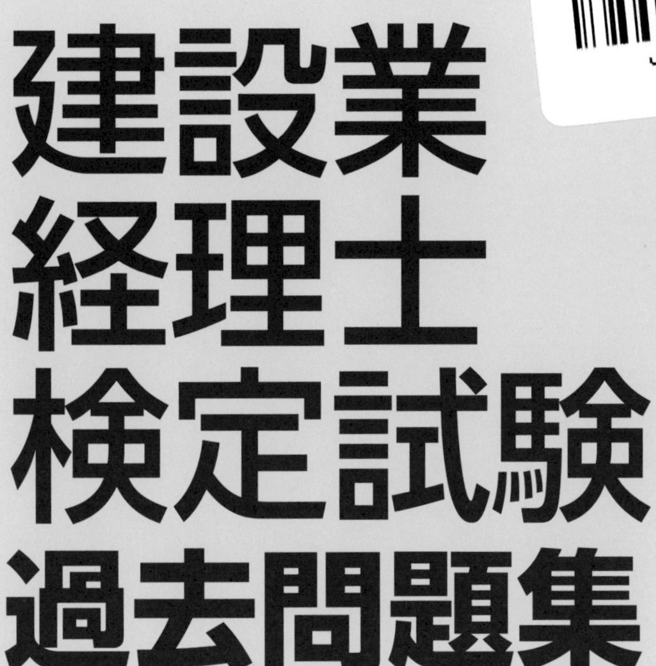




# 1級 財務諸表

解答＆解説

第6版

# 第34回

令和６年　3月10日実施

## 問題

〔第１問〕　長期前払費用と繰延資産に関する以下の問に答えなさい。各問ともに指定した字数以内で記入すること。　(20点)

問１　両者の性質上の類似点と相違点を答えなさい。(250字)

問２　両者の会計処理上の類似点と相違点を答えなさい。(250字)

## 解答&解説

問１

両者の性質上の類似点として、長期前払費用と繰延資産は「それ自体の換金性が著しく薄い性質（ないしは、換金性を有しない性質）」を持っていることが挙げられる。一方、両者の性質上の相違点として、長期前払費用が対価に見合う役務を未だ受け取っていない点で「未費消原価」という性質をもっていることに対し、繰延資産はすでに役務を受け入れ消費している点で「費消済原価」という性質をもっていることが挙げられる。このことから、長期前払費用と繰延資産は、その性質上、役務が消費済であるか否かによって区別されるといえる。

問2

両者の会計処理上の類似点として、長期前払費用と繰延資産は、支出の期間配分基準について、両者ともに「時間」を適用している点が挙げられる。一方、両者の会計処理上の相違点として、次の２点が挙げられる。①長期前払費用は原則としてその資産計上が強制されることに対し、繰延資産は当該支出を繰延経理するか発生した期の費用として処理するかは、企業の自主性に委ねられていること。②配分期間について、長期前払費用の償却方法が規則的償却を行うのに対し、繰延資産の償却は均等額以上の早期償却が求められていること。

繰延資産とは，既に代価の支払が完了し，または支払義務が確定し，これに対応するサービスの提供を受けたにもかかわらず，その効果が将来にわたって発現するものと期待される発生費用を経過的に貸借対照表に資産計上したものをいう。

費消済みのサービスを主内容とする繰延資産（費消済原価）は，材料，機械などの通常の費用性資産と比べて，その内容も曖昧であり，将来の営業活動に対する役立ちの程度も明確ではない。そのため，この種の支出の繰延を無制限に認めることは，多くの問題を誘発する危険性がある。これらのことから，現状，繰延経理できる支出は「①株式交付費，②社債発行費（新株予約権の発行に係る費用を含む），③創立費，④開業費，⑤開発費」に限定されている。

一方，前払費用とは，一定の契約に従い，継続してサービスの提供を受ける場合，いまだ提供されていないサービスに対して支払われる対価をいう。前払利息，前払保険料，前払家賃などはその例である。これらのサービスに対する対価は，時の経過とともに費消され，次期以降の費用になるものであるから，当期の損益計算から除去されるとともに，貸借対照表の資産の部に記載されなければならない。

これらの対価は，支出時に通常「支払利息」「保険料」といった費用科目で処理され，期末に資産科目（前払利息等）に振り替えられるため，外観上は，「発生費用の繰延」と同じ性質のものに見える。しかしながら，これらの前払費用は，サービスの費消はまだ行われていないことに留意する。前払費用は，いわば「未費消の原価」としての性質のものであるといえる。そこで，前払費用（未費消原価）と前述の繰延資産（費消済原価）とは，明確に識別されなければならない。なお，長期前払費用とは，貸借対照表日の翌日から起算して1年を超えて費用化される前払費用のことをいう。

## 問題

〔第2問〕 費用および費用配分の原則に関する次の文中の［　　］の中に入れるべき最も適当な用語を下記の<用語群>の中から選び、その記号（ア～チ）を解答用紙の所定の欄に記入しなさい。 （14点）

期間利益は期間収益からそれに対応する費用を差し引いて計算される。この対応計算を［ 1 ］的に行うためには、対応計算に先だって、財・［ 2 ］の減少部分を収益の獲得活動と関係をもつ部分とそれ以外の部分とに明確に区別しておくことが望ましく、かつ、必要なことはいうまでもない。企業会計原則においても、こうした理由から、収益の獲得活動と関係をもつ部分、すなわち「費用」と、それ以外の部分、すなわち「［ 3 ］」とを明確に区別すべきものとしている。

企業会計原則の「貸借対照表原則五」は、費用配分の原則について、資産の取得原価を所定の方法に従い、計画的・［ 4 ］的に各期に配分すべきであるということを要請している。ここにいう「所定の方法」とは、一般に公正妥当と認められた費用配分の方法をいう。たとえば、［ 5 ］資産原価の配分方法には個別法、先入先出法、平均原価法などが認められる。

一方、配分方法の選択について、企業会計原則は企業の自主的な判断に委ねる立場をとっているが、これを企業による配分方法の恣意的な選択を容認するものと解してはならない。つまり、「貸借対照表原則五」にいう「計画的」とは、［ 1 ］的な配分計画のもとに企業の特殊性を十分に考慮して適正な期間利益の計算を［ 6 ］するという意味での妥当な方法の選択を意味する。このようにして選択された配分方法は、正当な理由のないかぎり、毎期［ 7 ］して適用されなければならない。つまり、「［ 4 ］的」とは、妥当な方法の機械的適用を意味する。

<用語群>

| | | | |
|---|---|---|---|
| ア　経済 | イ　用役 | ウ　固定 | エ　保証 |
| オ　再検討 | カ　規則 | キ　損失 | ク　検証 |
| コ　負債 | サ　経常 | シ　損金 | ス　棚卸 |
| セ　経費 | ソ　合理 | タ　流動 | チ　継続 |

## 解答&解説

記号（ア～チ）

| 1 | 2 | 3 | 4 | 5 | 6 | 7 |
|---|---|---|---|---|---|---|
| ソ | イ | キ | カ | ス | エ | チ |

2 は，直前の「財」というキーワードにより，「用役（イ）」だとわかる。3 は，「収益の獲得活動と関係をもたない部分」という文意より，「損失（キ）」を選択する。

費用配分の原則は，資産の取得原価（費用化される支出）を，所定の方法に従い，計画的・規則的に各期に配分すべきであるということを要請している。よって，4 は「規則（カ）」が入る。5 は，「配分方法には個別法，先入先出法，平均原価法など」というキーワードにより，「棚卸（ス）」だと分かる。

ここでいう「計画的」とは，合理的な配分計画のもとに企業の特殊性を十分に考慮して適正な期間利益の計算を保証する，そのような意味での妥当な方法の選択を含意する。このことから，1 と 6 の正解の組み合わせは，「合理（ソ）」と「保証（エ）」となる。7 は，「このようにして選択された配分方法は，正当な理由のないかぎり，毎期～」という記述により，「継続（チ）」が適当である。

## 問題

〔第3問〕 財務会計に関するわが国の基本的な考え方に照らして、以下の各記述（1～8）のうち、全体が正しいと認められるものには「A」、認められないものには「B」を解答用紙の所定の欄に記入しなさい。（16点）

1. 正規の簿記の原則は、帳簿記録の網羅性、検証可能性および秩序性を要請すると同時に、財務諸表がかかる会計記録に基づいて作成されるべきことを求めたものである。しかし、ここにいう記録の網羅性とは、すべての取引項目を完全に記録することを必ずしも要求していない。
2. 明瞭性の原則は、財務諸表の利用者が広く社会の各階層に及んでいる事実認識を前提に、財務諸表の形式に関し、目的適合性、概観性と詳細性の調和、表示形式の統一性と継続性など、一定の要件を満たすことを要請する規範理念である。
3. 工事用の機械を購入するにあたり銀行から資金を借り入れた。借入れに対する支払利息を、付随費用として当該機械の取得原価に含めることとした。
4. 当期に行った新株の発行による収入、自己株式の取得による支出、配当金の支払いによる支出、社債の発行による収入を、キャッシュ・フロー計算書の財務活動によるキャッシュ・フローの区分に計上した。
5. 保有している満期保有目的の債券についてデリバティブ取引によりヘッジを行ってきたが、ヘッジ手段の時価の下落が極めて大幅になったため、当該ヘッジ手段はヘッジの要件を充たさなくなったと判断し、ヘッジ会計を中止した。繰り延べてきたヘッジ手段に係る損失については、ヘッジ対象に係る損益が認識されるまで引き続き繰り延べることとした。
6. 期首に、従業員の給与計算事務の時間的ならびに経済的負担軽減を目的として専用のソフトウェアを購入し、その目的は十分に達成されている。当該ソフトウェアの購入費を当期の費用として損益計算書に計上した。
7. 株式会社の設立に際して株式を発行するために要した証券会社の事務手数料等の諸経費は、株式交付費として処理する。株式交付費は支出時に費用として処理することを原則とするが、これを繰延資産として3年内に償却することが実務上認められている。
8. 企業会計原則では、株主資本を資本金と剰余金に区別するとともに、剰余金を資本剰余金と利益剰余金の2つに分けている。会社計算規則などの現行会計制度は、資本剰余金は資本準備金とその他資本剰余金に、利益剰余金は利益準備金とその他利益剰余金に、さらに細かく区分している。

## 解答&解説

記号（AまたはB）

| 1 | 2 | 3 | 4 | 5 | 6 | 7 | 8 |
|---|---|---|---|---|---|---|---|
| A | A | B | A | A | B | B | A |

| 問題 | 正解 | 解　説 |
|---|---|---|
| 1 | A | 重要性の原則により，重要性の乏しい項目を帳簿に記載しないことも認めるのが正規の簿記の原則である。 |
| 2 | A | 問題文のとおり。 |
| 3 | B | 当該借入れに対する支払利息は期間費用として処理するため，当該機械の取得原価に含めない。 |
| 4 | A | 「財務活動によるキャッシュ・フロー」の区分では，資金の調達および返済によるキャッシュ・フローが表示される。具体的には，①株式の発行による収入，②自己株式の取得による支出，③自己株式の売却による収入，④配当金の支払い，⑤社債の発行および借入れによる収入，⑥社債の償還および借入金の返済による支出，などが挙げられる。 |
| 5 | A | ヘッジ会計の要件が充たされなくなったときには，ヘッジ会計の要件が充たされていた間のヘッジ手段に係る損益または評価差額は，ヘッジ対象に係る損益が認識されるまで引き続き繰り延べる。 |
| 6 | B | 自社利用のソフトウェアについては，社内利用により将来の収益獲得または費用削減が確実であると認められる場合には，当該ソフトウェアの制作費または取得に要した支出を資産として計上しなければならない。 |
| 7 | B | 当該諸経費は，「株式交付費」ではなく，株式設立のための支出なので「創立費」に該当する。 |
| 8 | A | 問題文のとおり。 |

〔第4問〕　次の＜資料＞に基づき、下の問に解答しなさい。　(14点)

＜資料＞

20×1年4月1日にP株式会社は、S株式会社の発行済株式の70％を24,000千円で取得し、S株式会社を子会社とした。同日における両社の貸借対照表は、次のとおりである。なお、支配獲得時におけるS株式会社の資産の時価は68,000千円であり、負債の時価は44,500千円である。

**貸借対照表**

P株式会社　　20×1年4月1日現在　　(単位：千円)

| | | | |
|---|---|---|---|
| S社株式 | 24,000 | 諸負債 | 54,000 |
| その他諸資産 | 102,000 | 資本金 | 50,000 |
| | | 利益剰余金 | 22,000 |
| | 126,000 | | 126,000 |

**貸借対照表**

S株式会社　　20×1年4月1日現在　　(単位：千円)

| | | | |
|---|---|---|---|
| 諸資産 | 63,000 | 諸負債 | 43,000 |
| | | 資本金 | 18,000 |
| | | 利益剰余金 | 2,000 |
| | 63,000 | | 63,000 |

問1　全面時価評価法による場合に認識すべき評価差額の金額を計算しなさい。

問2　連結財務諸表に計上される非支配株主持分の金額を計算しなさい。

問3　連結財務諸表に計上されるのれんの金額を計算しなさい。

## 解答&解説

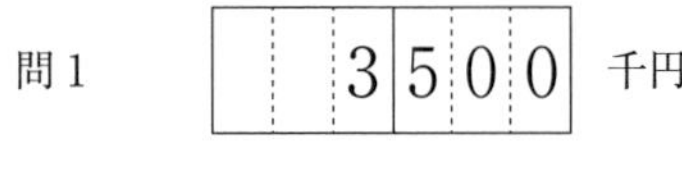

千円

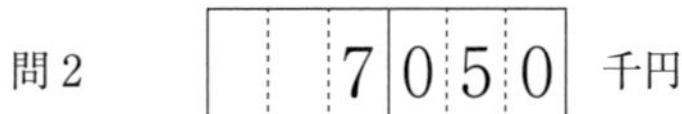

千円

問3　7550 千円

（単位：千円）

問１　子会社の資産・負債の時価評価

親会社が所有する株式以外の株式を所有する者を非支配株主という。全面時価評価法によると，子会社資産負債評価増減額のうち，親会社持分割合相当額だけを認識するのではなく，残余の非支配株主持分割合の対応額をも認識する。すなわち，時価評価額の全額を連結上で認識するのである。全面時価評価法で処理すると，次のように仕訳される。

| | | | | |
|---|---|---|---|---|
| （借） | 諸資産 | 5,000① | （貸）諸負債 | 1,500② |
| | | | 評価差額 | 3,500③※貸借差額 |

・「評価引上額と評価差額」の計算

①諸資産＝時価－簿価＝68,000－63,000＝5,000

②諸負債＝時価－簿価＝44,500－43,000＝1,500

③評価差額（①－②）＝5,000－1,500＝3,500

問２，問３　「親会社の投資」と「子会社資本」の相殺消去

連結貸借対照表作成の諸手続中でも，この相殺手続は重要なものの１つである。親会社の財務諸表中の子会社投資は，子会社の資本に対応している。そこで，株式取得（支配取得）の子会社資産・負債を時価評価した後に，親会社の投資と子会社資本とを相殺消去する。全面時価評価法で処理すると，その資本連結の仕訳は次のようになる。

| | | | | |
|---|---|---|---|---|
| （借） | 資本金 | 18,000 | （貸）Ｓ社株式 | 24,000※取得原価 |
| | 利益剰余金 | 2,000 | 非支配株主持分 | 7,050④ |
| | 評価差額 | 3,500※問1 | | |
| | のれん | 7,550⑤※貸借差額 | | |

④非支配株主持分＝（資本金＋利益剰余金＋評価差額※問1）×非支配株主持分割合

＝（18,000＋2,000＋3,500）×（100％－70％）＝7,050

投資と子会社資本との相殺消去に際しては，多くの場合に差額が生じる。この投資消去差額を「のれん（または「負ののれん」）」という。「のれん」が生じる理由は，当該子会社の収益力が他の会社に比して超過しており，その超過収益力に対する代価として，子会社の自己資本の金額以上を支出して株式を取得するからである。ちなみに，一般の合併会計において，合併会社が支払う対価が被合併会社の総資産額（時価）を超える部分として「のれん」が計上されるのと同様である。

⑤のれん＝子会社株式の取得原価－（資本金＋利益剰余金＋評価差額※問1）×所有割合

＝24,000－（18,000＋2,000＋3,500）×70％

＝24,000－16,450＝7,550

〔第５問〕　次の<決算整理事項等>に基づき、解答用紙に示されているＹ建設株式会社の当会計年度（20×4 年 4 月 1 日～20×5 年 3 月 31 日）に係る精算表を完成しなさい。

ただし、計算過程で端数が生じた場合は、千円未満の端数を切り捨てること。なお、整理の過程で新たに生じる勘定科目で、精算表上に指定されている科目は、そこに記入すること。また、経過勘定項目はすべて期首に再振替されている。　（36 点）

<決算整理事項等>

1．機械装置（同一機種で 4 台）は、20×2 年 4 月 1 日に取得し、同日より使用を開始したものであり、取得した時点での条件は次のとおりである。

取得原価　80,000 千円　　残存価額　ゼロ　　耐用年数　10 年　　減価償却方法　定額法

しかし、これらの機械装置のうち 1 台が決算日に水没し、今後使用できないことが判明したために廃棄処分する。なお、減価償却費は未成工事支出金に計上し、廃棄処分に伴い発生する損失は固定資産除却損に計上すること。

2．定期預金は、20×3 年 4 月 1 日に、年利 2 %、元利継続式（元利金を毎年継続して預入する方式）3 年の契約で預け入れたものである。本年度末における未収利息を計上する。

3．有価証券はすべてその他有価証券であり、期末の時価は 17,200 千円である。実効税率を 30 % として税効果会計を適用する。

4．退職給付引当金への当期繰入額は 13,260 千円であり、このうち 11,950 千円は工事原価、1,310 千円は販売費及び一般管理費である。なお、現場作業員の退職給付引当金については、月次原価計算で月額 980 千円の予定計算を実施しており、20×5 年 3 月までの毎月の予定額は、未成工事支出金の借方と退職給付引当金の貸方にすでに計上されている。この予定計上額と実際発生額との差額は工事原価に加減する。

5．期末時点で施工中の工事は次の工事だけであり、収益認識には原価比例法による工事進行基準を適用している。工事期間は 4 年（20×2 年 4 月 1 日～20×6 年 3 月 31 日）、当初契約時の工事収益総額は 750,000 千円、工事原価総額の見積額は 600,000 千円で、前受金として着手前に 100,000 千円、第 2 期末に 250,000 千円をそれぞれ受領している。

当期末までの工事原価発生額は、第 1 期が 72,000 千円、第 2 期が 168,000 千円、第 3 期が 260,500 千円であった。資材価格と人件費の上昇により、第 3 期首（当期首）に工事原価総額の見積りを 650,000 千円に変更するとともに、交渉により、請負工事代金総額を 780,000 千円とすることが認められた。

6．受取手形と完成工事未収入金の期末残高に対して 2 % の貸倒引当金を設定する（差額補充法）。このうち 2,222 千円については税務上損金算入が認められないため、実効税率を 30 % として税効果会計を適用する。

7．当期の完成工事高に対して 0.5 % の完成工事補償引当金を設定する（差額補充法）。

8．法人税、住民税及び事業税と未払法人税等を計上する。なお、実効税率は 30 % とする。

9．税効果を考慮した上で、当期純損益を計上する。

## 解答&解説

# 精　算　表

（単位：千円）

| 勘定科目 | 残高試算表 | | 整理記入 | | 損益計算書 | | 貸借対照表 | |
|---|---|---|---|---|---|---|---|---|
| | 借方 | 貸方 | 借方 | 貸方 | 借方 | 貸方 | 借方 | 貸方 |
| 現金預金 | 7153 | | | | | | 7153 | |
| 受取手形 | 24000 | | | | | | 24000 | |
| 完成工事未収入金 | 36500 | | (5) 250600 | | | | 287100 | |
| 貸倒引当金 | | 250 | | (6) 5972 | | | | 6222 |
| 未成工事支出金 | 250460 | | (1) 8000<br>(4) 190<br>(7) 1850 | (5) 260500 | | | | |
| 仮払法人税等 | 8600 | | | (8) 8600 | | | | |
| 機械装置 | 80000 | | | (1) 20000 | | | 60000 | |
| 機械装置減価償却累計額 | | 16000 | (1) 6000 | (1) 8000 | | | | 18000 |
| 土地 | 20000 | | | | | | 20000 | |
| 定期預金 | 30000 | | | | | | 30000 | |
| 投資有価証券 | 17000 | | (3) 200 | | | | 17200 | |
| その他の諸資産 | 11582 | | | | | | 11582 | |
| 工事未払金 | | 36168 | | | | | | 36168 |
| 未成工事受入金 | | 50000 | (5) 50000 | | | | | |
| 完成工事補償引当金 | | 1216 | | (7) 1850 | | | | 3066 |
| 退職給付引当金 | | 124793 | | (4) 190<br>(4) 1310 | | | | 126293 |
| その他の諸負債 | | 20684 | | | | | | 20684 |
| 資本金 | | 180000 | | | | | | 180000 |
| 資本準備金 | | 15000 | | | | | | 15000 |
| 利益準備金 | | 8000 | | | | | | 8000 |
| 繰越利益剰余金 | | 3000 | | | | | | 3000 |
| 完成工事高 | | 312600 | | (5) 300600 | | 613200 | | |
| 完成工事原価 | 259800 | | (5) 260500 | | 520300 | | | |
| 受取利息 | 600 | | | (2) 1212 | | 612 | | |
| 雑収入 | | 1863 | | | | 1863 | | |
| 販売費及び一般管理費 | 20089 | | (4) 1310 | | 21399 | | | |
| その他の諸費用 | 3790 | | | | 3790 | | | |
| | 769574 | 769574 | | | | | | |
| 固定資産除却損 | | | (1) 14000 | | 14000 | | | |
| 未収利息 | | | (2) 1212 | | | | 1212 | |
| 貸倒引当金繰入額 | | | (6) 5972 | | 5972 | | | |
| その他有価証券評価差額金 | | | | (3) 140 | | | | 140 |
| 繰延税金資産 | | | (6) 666 | | | | 666 | |
| 繰延税金負債 | | | | (3) 60 | | | | 60 |
| 未払法人税等 | | | | (8) 7130 | | | | 7130 |
| 法人税、住民税及び事業税 | | | (8) 15730 | | 15730 | | | |
| 法人税等調整額 | | | | (6) 666 | | 666 | | |
| | | | 616230 | 616230 | 581191 | 616341 | 458913 | 423763 |
| 当期（ 純利益 ） | | | | | 35150 | | | 35150 |
| | | | | | 616341 | 616341 | 458913 | 458913 |

決算整理仕訳（単位：千円）

1．機械装置

⑴　減価償却費

（借）未成工事支出金　8,000①　（貸）機械装置減価償却累計額　8,000

①定額法：(80,000－０)÷耐用年数10年＝8,000

⑵　廃棄処分

（借）機械装置減価償却累計額　6,000③　（貸）機械装置　20,000②

固定資産除却損　14,000※貸借差額

②取得原価＝80,000÷４台＝20,000

③機械装置減価償却累計額＝(20,000②－０)÷10年×経過年数３年＝6,000

2．定期預金

⑴　参考：前期末の決算整理仕訳

（借）未収利息　600①　（貸）受取利息　600①

①30,000×２％＝600

⑵　参考：当期首の再振替仕訳（⑴の逆仕訳）

（借）受取利息　600　（貸）未収利息　600

※残高試算表欄の受取利息勘定（収益）の残高が，借方600となっていることに注意する。なお，未収利息勘定の残高は無くなっている。

⑶　当期末の決算整理仕訳

元利継続式とは、定期預金の満期時（契約期間３年）に受け取る利息を元金に組み入れ、その合計金額で同一期間の新しい定期預金に自動的に継続する方式である。したがって、契約期間中の利息については、各決算期末において、問題の指示どおり「未収利息」を計上することになる。ただし、未収利息の計算は、複利計算（元利金を毎年継続して預入する方式）で行うことに注意する。また、上記⑵のとおり、未収利息勘定の残高は無くなっているため、前期分と当期分の未収利息の計上を行う必要がある。

（借）未収利息　1,212②　（貸）受取利息　1,212

②前期分と当期分の未収利息＝600①＋(元金30,000＋600①)×２％＝1,212

3．投資有価証券

| | | | | |
|---|---|---|---|---|
| （借） | 投資有価証券 | 200[①] | （貸） | その他有価証券評価差額金 | 140[※貸借差額] |
| | | | | 繰延税金負債 | 60[②] |

①時価17,200－帳簿価額17,000＝＋200

②繰延税金負債＝200[①]×実効税率30％＝60

4．退職給付引当金

| | | | | | |
|---|---|---|---|---|---|
| （借） | 未成工事支出金 | 190[①] | （貸） | 退職給付引当金 | 190 |

①@980×12月－11,950＝△190（計上不足）

| | | | | | |
|---|---|---|---|---|---|
| （借） | 販売費及び一般管理費 | 1,310 | （貸） | 退職給付引当金 | 1,310 |

5．工事進行基準

| | | | | | |
|---|---|---|---|---|---|
| （借） | 未成工事受入金 | 50,000[②] | （貸） | 完成工事高 | 300,600[③] |
| | 完成工事未収入金 | 250,600[※貸借差額] | | | |
| （借） | 完成工事原価 | 260,500 | （貸） | 未成工事支出金 | 260,500 |

①前期までの完成工事高＝工事収益総額×工事進捗度

$$=750,000\times\frac{72,000+168,000}{600,000}=300,000$$

②未成工事受入金＝前受金受領額－前期までの完成工事高[①]

＝(100,000＋250,000)－300,000[①]＝50,000[※残高試算表]

③当期の完成工事高＝工事収益総額×工事進捗度－前期までの完成工事高[①]

$$=780,000\times\frac{72,000+168,000+260,500}{650,000}-300,000^{①}=300,600$$

6．貸倒引当金

| | | | | | |
|---|---|---|---|---|---|
| （借） | 貸倒引当金繰入額 | 5,972[①] | （貸） | 貸倒引当金 | 5,972 |

①繰入額＝(24,000＋36,500＋250,600[※上記5])×２％－250[※残高試算表]＝5,972[①]

| | | | | | |
|---|---|---|---|---|---|
| （借） | 繰延税金資産 | 666[②] | （貸） | 法人税等調整額 | 666 |

②繰延税金資産＝税務上の損金不算入額2,222×実効税率30％

＝666（千円未満切捨て）

7．完成工事補償引当金

| | | | | | |
|---|---|---|---|---|---|
| （借） | 未成工事支出金 | 1,850[①] | （貸） | 完成工事補償引当金 | 1,850 |

①繰入額＝(312,600＋300,600[※上記5])×0.5％－1,216[※残高試算表]＝1,850

8．法人税，住民税及び事業税

（借）法人税，住民税及び事業税 15,730④　（貸）仮払法人税等　8,600

　　　　　　　　　　　　　　　　　　　　　　未払法人税等　7,130※貸借差額

①総収益：完成工事高613,200＋受取利息612＋雑収入1,863＝615,675

②総費用：完成工事原価520,300＋販売費及び一般管理費21,399＋その他の諸費用3,790＋固定資産除却損14,000＋貸倒引当金繰入額5,972＝565,461

③損金不算入項目※上記6：2,222

④法人税，住民税及び事業税：(615,675①－565,461②＋2,222③)×実効税率30%
＝15,730（千円未満切捨て）

9．当期純利益の計算

（単位：千円）

| | | |
|---|---|---|
| 総収益 | | 615,675 |
| 総費用 | | 565,461 |
| 税引前当期純利益 | | 50,214 |
| 法人税，住民税及び事業税 | 15,730 | |
| 法人税等調整額 | △666 | 15,064 |
| 当期純利益 | | 35,150 |

実効税率30%に対応

令和５年　9月10日実施

〔第１問〕　偶発債務に関する以下の問に答えなさい。各問ともに指定した字数以内で記入すること。　(20点)

問１　偶発債務とは何かを説明するとともに、その発生原因を例示しなさい。(200字)

問２　偶発債務は、その発生確率の高低に応じて財務諸表における表示が異なっている。それぞれの場合における表示方法を説明しなさい。(300字)

## 解答＆解説

問１

偶発債務とは、現在は法律上の債務ではないが、将来一定の条件の発生によって法律上の債務となる可能性をもつものをいう。その発生原因としては、①受取手形の裏書譲渡または割引や、②子会社等に対する債務保証が挙げられる。前者は、「当該裏書手形または割引手形が、支払人の支払不能となった場合の遡及義務」が偶発債務に該当する。後者は、「子会社等が、借入金等の返済不能となった場合の保証義務」が偶発債務に該当する。

問2

引当金の設定要件とは、「将来の費用または損失等が特定していること、それらの発生が当期以前の事象に起因していること、それらの発生の可能性が高いこと、それらの金額の見積りが合理的に行えること」である。偶発債務のうち、その発生の確率も低く、その金額も正確に見積もれないものは、引当金の設定要件を満たしていない。よって、当該偶発債務は、通常、財務諸表の注記として表示されることになる。これに対して、その発生の確率が高く、かつ、その金額も合理的に見積もることのできる偶発債務については、引当金の設定要件を満たすことになる。よって、当該偶発債務は、引当金として、貸借対照表の負債の部に表示しなければならない。

問1　偶発債務

偶発債務とは，現在は法律上の債務ではないが，将来一定の条件の発生によって法律上の債務となる可能性をもつものをいい，その発生原因としては，①受取手形の割引または譲渡，②子会社等に対する債務保証，③係争中の訴訟事件，④得意先に対する製品の保証，⑤先物売買契約などが考えられる。

問2　偶発債務の表示

上記の偶発債務のうち，その発生の確率も低く，その金額も正確に見積もれないものは，通常，財務諸表の注記として「割引手形×××円」，「従業員に対する債務保証×××円」といったかたちで表示される。

これに対して，その発生の確率が高く，かつ，その金額も合理的に見積もることのできる偶発債務については，これを引当金として計上しなければならない（企業会計原則注解 注18）。この場合，その引当額は「債務保証損失引当金」，「損害補償損失引当金」などの科目で負債の部に表示されることになる。

## 問題

〔第２問〕 建設業会計における棚卸資産および固定資産について述べた次の文中の［　　］の中に入れるべき最も適当な用語を下記の<用語群>の中から選び、その記号（ア～チ）を解答用紙の所定の欄に記入しなさい。なお、（　　）にあてはまる用語は各自推定すること。（14点）

棚卸資産は、販売を目的に保有され、あるいは生産その他企業の営業活動で（　　）に保有される財・用役をいい、これらは、未成工事支出金および［ 1 ］の勘定で処理されている。未成工事支出金には、工事収益を未だ認識していない工事に要した材料費、労務費、外注費、経費といった［ 2 ］のほか、特定工事に係る［ 3 ］、材料、仮設材料などが含まれる。また、［ 1 ］には、手持の工事用原材料、仮設材料、機械部品等の消耗工具器具備品、事務用消耗品が含まれる（未成工事支出金等で処理したものを除く）。

固定資産は、企業が営業目的を達成するために［ 4 ］にわたって使用し、あるいは保有する資産である。建設業法施行規則では、固定資産を有形固定資産、［ 5 ］および［ 6 ］の３つに分類している。有形固定資産には、建物、構築物、機械、運搬具、工具器具備品、土地、［ 7 ］などの有形物が含まれる。［ 5 ］には、特許権、借地権などの法律上の権利のほか、営業権のような事実上の権利が含まれる。また［ 6 ］に属するものとしては長期利殖を目的として保有する有価証券、子会社株式・出資金、長期貸付金などのほか、長期の［ 8 ］があげられる。

<用語群>

| | | | |
|---|---|---|---|
| ア　繰延資産 | イ　無形固定資産 | ウ　完成工事高 | エ　建設仮勘定 |
| オ　減価償却累計額 | カ　材料貯蔵品 | キ　完成工事未収入金 | ク　工事未払金 |
| コ　短期間 | サ　長期間 | シ　投資その他の資産 | ス　工事原価 |
| セ　前受金 | ソ　前渡金 | タ　前払費用 | チ　前受収益 |

## 解答＆解説

記号（ア～チ）

| 1 | 2 | 3 | 4 | 5 | 6 | 7 | 8 |
|---|---|---|---|---|---|---|---|
| カ | ス | ソ | サ | イ | シ | エ | タ |

［ 1 ］は，「棚卸資産」と「手持の工事用原材料，仮設材料，機械部品等の消耗工具器具備品，事務用消耗品」というキーワードにより，「材料貯蔵品（カ）」が適当であろう。［ 2 ］は，「材料費，労務費，外注費，経費といった～」という記述により，「工事原価（ス）」だと分かる。また，未成工事支出金で処理されるものとして，特定工事に係る前渡金，材料，仮設

材料なども含まれる。このことから，[ 3 ]は「前渡金（ソ）」を選択する。

[ 4 ]は，「固定資産」というキーワードにより，「長期間（サ）」が正解になる。[ 5 ]は，「特許権，借地権などの法律上の権利のほか，営業権のような事実上の権利が含まれる」という記述により，「無形固定資産（イ）」だと分かる。このことから，固定資産の３分類の残りである「投資その他の資産（シ）」が，[ 6 ]の正解だと導き出せる。[ 7 ]は，用語群より有形固定資産を選択すればよいので，「建設仮勘定（エ）」しかない。[ 8 ]は，投資その他の資産の分類で，「長期の～」という記述に続くものとしては，「前払費用（タ）」が適当であろう。ちなみに，「前受金（セ），前受収益（チ）」は，負債である。

〔第３問〕 財務会計に関するわが国の基本的な考え方に照らして、以下の会計処理のうち、認められるものには「Ａ」、認められないものには「Ｂ」を解答用紙の所定の欄に記入しなさい。（16点）

1．かねて発行していた新株予約権について、権利が行使されずに権利行使期限が到来したので、純資産の部に計上されていた新株予約権の発行に伴う払込金額を資本金に振り替えた。
2．当社は、従業員の退職給付について、確定給付型退職給付制度を採用し、外部の信託銀行に退職給付基金を積み立てている。当期末、退職した従業員に対して当該基金から退職金が支払われ、退職給付債務が減少したので退職給付引当金を減額した。
3．保有していた自己株式を売却したが、その際に処分差損が発生した。当該差損をその他資本剰余金から減額したが、減額しきれなかったので、不足分をその他利益剰余金（繰越利益剰余金）から減額した。
4．事業規模を縮小するに伴い資本金を減少させた。その際に発生した差益は、当期の損益として損益計算書に計上した。
5．期末に保有する工事用原材料の将来の価格下落による損失に備えるため、その残高に対して３％の引当金を設定した。
6．受取利息を入金時に認識してきたため、受取利息勘定の期末残高に期間未経過のものが含まれていたが、未経過の金額が相対的に小さいために期末整理を行わず、受取利息勘定の期末残高を当期の損益計算書に収益として計上した。
7．小口の買掛金の残高を、その金額が小さいとの理由で簿外負債として処理した。
8．当期（決算日は毎年３月31日）の10月１日に社債（償還期間５年）を発行し、その際に募集広告費等に¥500,000支出した。これを社債発行費として繰延処理し、定額法で償却することとした。これにより、決算時に償却費¥50,000を計上した。

## 解答＆解説

記号（ＡまたはＢ）

| 1 | 2 | 3 | 4 | 5 | 6 | 7 | 8 |
|---|---|---|---|---|---|---|---|
| B | B | A | B | B | A | B | A |

| 問題 | 正解 | 解　説 |
|---|---|---|
| 1 | B | 権利が行使されずに権利行使期限が到来したときは，利益として処理する。 |
| 2 | B | 当該基金から退職金が支払われた場合，退職給付債務は減少する一方，同額の年金資産も減少することになる。よって，退職給付引当金は減額させない。 |
| 3 | A | 自己株式処分差損は，その他資本剰余金から減額し，減額しきれない場合は，その他利益剰余金（繰越利益剰余金）から減額する。 |
| 4 | B | 当該差益を「資本金減少差益（減資差益）」という。資本金減少差益は，「その他資本剰余金」として取り扱われ，貸借対照表の純資産の部に表示されることになる。よって，資本金減少差益は，当期の損益として損益計算書に計上してはならない。 |
| 5 | B | 「工事用原材料の将来の価格下落による損失に備えること」は，その損失の発生可能性が高いとはいえず，引当金の設定要件を満たしていない。 |
| 6 | A | 前払費用，未収収益，未払費用及び前受収益のうち，重要性の乏しいものについては，経過勘定項目として処理しないことができる（企業会計原則注解 注１（２））。 |
| 7 | B | たとえ小口の買掛金であっても，買掛金は重要な科目であるので「重要性の原則」の対象外である。よって，その金額が小さいとの理由で，当該買掛金を簿外負債として処理することは認められない。 |
| 8 | A | 社債発行費は，原則，支出時に費用として処理する。それをしない場合は，社債の償還期限にわたり，利息法または定額法（継続適用が条件）により償却しなければならない。当該社債発行費の償却費を，定額法で月割計算すると，以下のようになる。<br>・定額法＝￥500,000÷償還期間５年×（経過月数６月÷12月）＝￥50,000 |

〔第４問〕　次の＜資料＞に基づき、20×7 年３月期（20×6 年４月１日〜20×7 年３月 31 日）の株主資本等変動計算書（一部）を完成し、①〜⑦にあてはまる金額を解答用紙の所定の欄に記入しなさい。なお、金額がマイナスの場合には、金額の前に△をつけること。　(14 点)

＜資料＞

１．20×6 年６月 24 日に開催された定時株主総会において、剰余金の処分が次のとおり承認された。

⑴　繰越利益剰余金を財源とし、株主への配当金を１株につき 330 円にて実施する。なお、この時点における当社の発行済株式総数は 32,000 株である。あわせて、会社法で規定する額の利益準備金を計上する。

⑵　別途積立金を新たに 3,000 千円計上する。

２．20×6 年７月 25 日に㈱Ａ建設を吸収合併した。同社の諸資産（時価）は 360,000 千円、諸負債（時価）は 240,000 千円であった。合併の対価として、同社の株主に対して当社の新株 10,000 株（時価@ 15,000 円）を交付し、資本金増加額は 90,000 千円、資本準備金増加額は 40,000 千円、およびその他資本剰余金増加額は 20,000 千円とした。

３．20×6 年 12 月 15 日に増資を行い、2,000 株を１株につき 16,500 円で発行した。払込金は全額当座預金に預け入れた。資本金は、会社法で規定する最低額を計上することとした。なお、増資に当たり手数料その他の支出として 500 千円を現金で支払った。

４．20×7 年３月 31 日に決算を行った結果、当期純利益は 67,000 千円であることが判明した。

株主資本等変動計算書（一部）
自 20×6 年 4 月 1 日　至 20×7 年 3 月 31 日

（単位：千円）

| | 株主資本 | | | | | | | | |
|---|---|---|---|---|---|---|---|---|---|
| | | 資本剰余金 | | | 利益剰余金 | | | | |
| | | | | | | その他利益剰余金 | | | |
| | 資本金 | 資本準備金 | その他資本剰余金 | 資本剰余金合計 | 利益準備金 | 別途積立金 | 繰越利益剰余金 | 利益剰余金合計 | 株主資本合計 |
| 当期首残高 | 295,000 | 12,300 | 26,500 | 38,800 | 26,400 | 5,000 | 30,600 | 62,000 | 395,800 |
| 当期変動額 | | | | | | | | | |
| 剰余金の配当 | | | | | ① | | | ② | |
| 別途積立金の積立 | | | | | | | | | |
| 吸収合併 | ③ | | | ④ | | | | | |
| 新株の発行 | | ⑤ | | | | | | | |
| 当期純利益 | | | | | | | ⑥ | | |
| 当期変動額合計 | | | | | | | | | |
| 当期末残高 | | | | | | | | | ⑦ |

## 解答&解説

① 
1056 千円

② △10560 千円

③ 90000 千円

④ 60000 千円

⑤ 16500 千円

⑥ 67000 千円

⑦ 635240 千円

（単位：千円）

1．利益処分

(1) 剰余金の配当等

| | | | | |
|---|---|---|---|---|
| （借） | 繰越利益剰余金 | 10,560[②] | （貸）未払配当金 | 10,560[※1] |

@330円×32,000株÷1,000円＝10,560[※1]

**∴②＝△10,560**

| | | | | |
|---|---|---|---|---|
| （借） | 繰越利益剰余金 | 1,056 | （貸）利益準備金 | 1,056[※4,①] |

**∴①＝1,056**

・剰余金の配当の10分の１＝10,560[※1]×$\frac{1}{10}$＝1,056[※2]

・積立可能額＝資本金×$\frac{1}{4}$－（資本準備金＋利益準備金）

＝295,000×$\frac{1}{4}$－（12,300＋26,400）＝35,050[※3]

・利益準備金積立額：1,056[※2]＜35,050[※3]　　∴少ない方：1,056[※4]

(2) 別途積立金の積立

| | | | | |
|---|---|---|---|---|
| （借） | 繰越利益剰余金 | 3,000 | （貸）別途積立金 | 3,000 |

2．吸収合併

| | | | | |
|---|---|---|---|---|
| （借） | 諸　資　産 | 360,000 | （貸）諸　負　債 | 240,000 |
| | の　れ　ん | 30,000[※貸借差額] | 資　本　金 | 90,000[③] |
| | | | 資本準備金 | 40,000[④] |
| | | | その他資本剰余金 | 20,000[④] |

**∴③＝90,000　　∴④＝40,000＋20,000＝60,000**

3．増資

| | | | | |
|---|---|---|---|---|
| （借） | 当座預金 | 33,000[※5] | （貸）資本金 | 16,500[※6] |
| | | | 資本準備金 | 16,500[※6,⑤] |

・2,000株×@16,500円÷1,000円＝33,000[※5]

・33,000[※5]×$\frac{1}{2}$＝16,500[※6]　　**∴⑤＝16,500**

4．当期純利益

（借）損　益　67,000　（貸）繰越利益剰余金　67,000⑥

∴⑥＝**67,000**

5．株主資本等変動計算書

株主資本等変動計算書（一部）
自20×6年４月１日　至20×7年３月31日　（単位：千円）

| | 株主資本 | | | | | | | | |
|---|---|---|---|---|---|---|---|---|---|
| | 資本金 | 資本剰余金 | | | 利益剰余金 | | | | 株主資本合計 |
| | | 資本準備金 | その他資本剰余金 | 資本剰余金合計 | 利益準備金 | その他利益剰余金 | | 利益剰余金合計 | |
| | | | | | | 別途積立金 | 繰越利益剰余金 | | |
| 当期首残高 | 295,000 | 12,300 | 26,500 | 38,800 | 26,400 | 5,000 | 30,600 | 62,000 | 395,800 |
| 当期変動額 | | | | | | | | | |
| 剰余金の配当 | | | | | ①1,056 | | △11,616 | ②△10,560 | △10,560 |
| 別途積立金の積立 | | | | | | 3,000 | △3,000 | | |
| 吸収合併 | ③90,000 | 40,000 | 20,000 | ④60,000 | | | | | 150,000 |
| 新株の発行 | 16,500 | ⑤16,500 | | 16,500 | | | | | 33,000 |
| 当期純利益 | | | | | | | ⑥67,000 | 67,000 | 67,000 |
| 当期変動額合計 | 106,500 | 56,500 | 20,000 | 76,500 | 1,056 | 3,000 | 52,384 | 56,440 | 239,440 |
| 当期末残高 | 401,500 | 68,800 | 46,500 | 115,300 | 27,456 | 8,000 | 82,984 | 118,440 | ⑦635,240 |

〔第５問〕　次の<決算整理事項等>に基づき、解答用紙に示されているＸ建設株式会社の当会計年度（20×5年４月１日～20×6年３月31日）に係る精算表を完成しなさい。

ただし、計算過程で端数が生じた場合は、千円未満の端数を切り捨てること。なお、整理の過程で新たに生じる勘定科目で、精算表上に指定されている科目は、そこに記入すること。（36点）

<決算整理事項等>

1．機械装置は、20×1年４月１日に取得し、同日より使用を開始したものであり、取得した時点での条件は次のとおりである。

取得原価　34,000千円　　残存価額　ゼロ　　耐用年数　10年　　減価償却方法　定額法

この資産について、期末に減損の兆候が見られたため、割引前のキャッシュ・フローの総額を見積もったところ、16,500千円であった。また、割引後のキャッシュ・フローの総額は16,015千円と算定され、これは正味売却価額よりも大きかった。なお、減価償却費は未成工事支出金に計上し、減損損失は機械装置減損損失に計上すること。

2．貸付金5,000千円のうち2,700千円は、１ドル＝135円の時に貸し付けたものである。期末時点の為替レートは、１ドル＝128円である。

3．有価証券はすべて当期首に@98.5円で購入したＡ社社債（額面総額：15,000千円、年利：1.0％、利払日：毎年９月と３月の末日、償還期日：20×8年３月31日）である。この社債はその他有価証券に分類されており、期末の時価は14,550千円である。償却原価法（定額法）を適用するとともに評価替えを行う。また、実効税率を30％として税効果会計を適用する。

4．退職給付引当金への当期繰入額は3,120千円であり、このうち2,870千円は工事原価、250千円は販売費及び一般管理費である。なお、現場作業員の退職給付引当金については、月次原価計算で月額250千円の予定計算を実施しており、20×6年３月までの毎月の予定額は、未成工事支出金の借方と退職給付引当金の貸方にすでに計上されている。この予定計上額と実際発生額との差額は工事原価に加減する。

5．期末時点で施工中の工事は次の工事だけであり、収益認識には原価比例法による工事進行基準を適用している。

工事期間は４年（20×3年４月１日～20×7年３月31日）、当初契約時の工事収益総額は840,000千円、工事原価総額の見積額は600,000千円で、前受金として着手前に200,000千円、第２期末に180,000千円をそれぞれ受領している。

当期末までの工事原価発生額は、第１期が135,000千円、第２期が115,000千円、第３期が236,500千円であった。資材価格と人件費の高騰により、第３期首に工事原価総額の見積りを700,000千円に変更するとともに、交渉により、請負工事代金総額を900,000千円とすることが認められた。

6．受取手形と完成工事未収入金の期末残高に対して２％の貸倒引当金を設定する（差額補充法）。このうち1,100千円については税務上損金算入が認められないため、実効税率を30％として税効果会計を適用する。

7．当期の完成工事高に対して0.5％の完成工事補償引当金を設定する（差額補充法）。

8．法人税、住民税及び事業税と未払法人税等を計上する。なお、実効税率は30％とする。

9．税効果を考慮した上で、当期純損益を計上する。

# 精　算　表

（単位：千円）

| 勘定科目 | 残高試算表 | | 整理記入 | | 損益計算書 | | 貸借対照表 | |
|---|---|---|---|---|---|---|---|---|
| | 借方 | 貸方 | 借方 | 貸方 | 借方 | 貸方 | 借方 | 貸方 |
| 現金預金 | 7296 | | | | | | 7296 | |
| 受取手形 | 12000 | | | | | | 12000 | |
| 完成工事未収入金 | 26300 | | (5)245500 | | | | 271800 | |
| 貸倒引当金 | | 216 | | (6)5460 | | | | 5676 |
| 貸付金 | 5000 | | | (2)140 | | | 4860 | |
| 未成工事支出金 | 231237 | | (1)3400<br>(7)1993 | (4)130<br>(5)236500 | | | | |
| 仮払法人税等 | 9800 | | | (8)9800 | | | | |
| 機械装置 | 34000 | | | (1)985 | | | 33015 | |
| 機械装置減価償却累計額 | | 13600 | | (1)3400 | | | | 17000 |
| 土地 | 24000 | | | | | | 24000 | |
| 投資有価証券 | 14775 | | (3)75 | (3)300 | | | 14550 | |
| その他の諸資産 | 10095 | | | | | | 10095 | |
| 工事未払金 | | 33661 | | | | | | 33661 |
| 未成工事受入金 | | 30000 | (5)30000 | | | | | |
| 完成工事補償引当金 | | 467 | | (7)1993 | | | | 2460 |
| 退職給付引当金 | | 26652 | (4)130 | (4)250 | | | | 26772 |
| その他の諸負債 | | 21897 | | | | | | 21897 |
| 資本金 | | 180000 | | | | | | 180000 |
| 資本準備金 | | 18000 | | | | | | 18000 |
| 利益準備金 | | 16000 | | | | | | 16000 |
| 繰越利益剰余金 | | 3200 | | | | | | 3200 |
| 完成工事高 | | 216530 | | (5)275500 | | 492030 | | |
| 雑収入 | | 1157 | | | | 1157 | | |
| 有価証券利息 | | 150 | | (3)75 | | 225 | | |
| 完成工事原価 | 165859 | | (5)236500 | | 402359 | | | |
| 販売費及び一般管理費 | 18632 | | (4)250 | | 18882 | | | |
| その他の諸費用 | 2536 | | | | 2536 | | | |
| | 561530 | 561530 | | | | | | |
| 機械装置減損損失 | | | (1)985 | | 985 | | | |
| 為替差損益 | | | (2)140 | | 140 | | | |
| 貸倒引当金繰入額 | | | (6)5460 | | 5460 | | | |
| その他有価証券評価差額金 | | | (3)210 | | | | 210 | |
| 繰延税金資産 | | | (3)90<br>(6)330 | | | | 420 | |
| 未払法人税等 | | | | (8)9445 | | | | 9445 |
| 法人税、住民税及び事業税 | | | (8)19245 | | 19245 | | | |
| 法人税等調整額 | | | | (6)330 | | 330 | | |
| | | | 544308 | 544308 | 449607 | 493742 | 378246 | 334111 |
| 当期（純利益） | | | | | 44135 | | | 44135 |
| | | | | | 493742 | 493742 | 378246 | 378246 |

決算整理仕訳　（単位：千円）

1．機械装置

(1)　減価償却費

（借）未成工事支出金　3,400[①]　（貸）機械装置減価償却累計額　3,400

①定額法：(34,000－0)÷耐用年数10年＝3,400[①]

(2)　減損処理

（借）機械装置減損損失　985[④]　（貸）機械装置　985

・減損損失の認識の判定

②割引前将来キャッシュ・フローの総額＝16,500[②]

③帳簿価額＝取得原価－減価償却累計額＝34,000－（13,600＋3,400[①]）＝17,000[③]

∴②16,500＜③17,000であり，減損損失の認識が必要である。

・減損損失の測定

④帳簿価額－割引後将来キャッシュ・フローの総額＝17,000[③]－16,015＝985[④]

2．為替差損益

（借）為替差損益　140[③]　（貸）貸付金　140

①2,700,000円÷@135円＝20,000ドル[①]

②20,000ドル[①]×@128円＝2,560,000円[②]

③時価2,560千円[②]－帳簿価額2,700千円＝△140千円[③]（為替差損）

3．投資有価証券

(1)　償却原価法

（借）投資有価証券　75[②]　（貸）有価証券利息　75

①額面総額と取得価額との差額＝15,000－15,000×$\frac{@98.5円}{@100円}$

＝15,000－14,775＝＋225[①]

②定額法＝＋225[①]÷償還期間3年＝＋75[②]（加算）

(2)　時価評価

（借）その他有価証券評価差額金　210[※貸借差額]　（貸）投資有価証券　300[③]

繰延税金資産　90[④]

③時価14,550－帳簿価額（14,775＋75[(1)②]）＝△300[③]

④繰延税金資産＝300[③]×実効税率30％＝90[④]

4．退職給付引当金

（借）退縮給付引当金　130①　（貸）未成工事支出金　130

①@250×12月－2,870＝＋130①（過剰計上）

（借）販売費及び一般管理費　250　（貸）退職給付引当金　250

5．工事進行基準

（借）未成工事受入金　30,000②　（貸）完成工事高　275,500③

完成工事未収入金　245,500※貸借差額

（借）完成工事原価　236,500　（貸）未成工事支出金　236,500

①前期までの完成工事高＝工事収益総額×工事進捗度

$$=840,000\times\frac{135,000+115,000}{600,000}=350,000$$

②未成工事受入金＝前受金受領額－前期までの完成工事高①

＝（200,000＋180,000）－350,000①＝30,000②※残高試算表

③当期の完成工事高＝工事収益総額×工事進捗度－前期までの完成工事高①

$$=900,000\times\frac{(135,000+115,000+236,500)}{700,000}-350,000^{①}=275,500^{③}$$

6．貸倒引当金

（借）貸倒引当金繰入額　5,460①　（貸）貸倒引当金　5,460

①繰入額＝（12,000＋26,300＋245,500※上記5）×2％－216※残高試算表＝5,460①

（借）繰延税金資産　330②　（貸）法人税等調整額　330

②繰延税金資産＝税務上の損金不算入額1,100×実効税率30％＝330②

7．完成工事補償引当金

（借）未成工事支出金　1,993①　（貸）完成工事補償引当金　1,993

①繰入額＝（216,530＋275,500※上記5）×0.5％－467※残高試算表

＝1,993.15≒1,993①（千円未満切捨て）

8．法人税，住民税及び事業税

（借）法人税，住民税及び事業税　19,245④　（貸）仮払法人税等　9,800

未払法人税等　9,445※貸借差額

①総収益：完成工事高492, 030＋雑収入1, 157＋有価証券利息225＝493, 412

②総費用：完成工事原価402, 359＋販売費及び一般管理費18, 882＋その他の諸費用2, 536
＋機械装置減損損失985＋為替差損益140＋貸倒引当金繰入額5, 460＝430, 362

③損金不算入項目※上記6：1, 100

④法人税，住民税及び事業税：（①493, 412－②430, 362＋③1, 100）×実効税率30％＝19, 245④

9．当期純利益の計算

| | | （単位：千円） | |
|---|---|---|---|
| 総　収　益 | | 493, 412 | |
| 総　費　用 | | 430, 362 | |
| 税引前当期純利益 | | 63, 050 | 実効税率30％に対応 |
| 法人税，住民税及び事業税 | 19, 245 | | |
| 法人税等調整額 | △330 | 18, 915 | |
| 当　期　純　利　益 | | 44,135 | |

令和５年　３月12日実施

〔第１問〕　工事進行基準に関する以下の問に答えなさい。各問ともに指定した字数以内で記入すること。　(20点)

問１　工事進行基準を説明するとともに、この基準の適用要件を答えなさい。(200字)

問２　総額請負契約、原価補償契約、単価精算契約それぞれについて、工事進行基準による工事収益額の測定方法を説明しなさい。(300字)

## 解答&解説

問１

工事進行基準とは、会計期末に工事進行の程度（工事進捗度）を見積もり、その進捗度に応じて当期の工事収益及び工事原価を認識する方法をいう。工事進行基準の適用要件は、工事の進行途上において、その進捗部分について、成果の確実性が認められる場合である。成果の確実性が認められるためには、①工事収益総額、②工事原価総額および③決算日における工事進捗度について、信頼性をもって見積もることができなければならない。

問２

工事進行基準を適用する場合、当期に帰属させるべき工事収益の額をどのように計算するかは、請負代金の決定方法によって異なってくる。①総額請負契約の場合、工事収益額は工事収益総額に工事進捗度を乗じて計算される。工事進捗度は、見積工事原価総額に対する実際工事原価の割合（原価比例法）や、見積総作業量に対する実際作業量の割合や、技術的見地からする完成割合で測定し、工事の性質に合わせて選択適用されなければならない。②原価補償契約の場合、工事収益額は実際工事原価に一定率の利益を加算する方法で計算される。③単価精算契約の場合、工事収益額は完成作業単位量に単位当たりの請負工事収益額を乗じて計算される。

問１　工事進行基準の説明と適用要件

会計期末に工事進捗度を見積もり，工事進捗度に応じて当期の工事収益を認識する方法は，一般に「工事進行基準」とよばれ，長期請負業の収益認識基準として発生主義を適用した典型的な例である。

工事進行基準は，長期の請負工事，すなわち受注にもとづいて工事に着手し，しかも，建物，船舶，ダムなどの着手から工事の完成引渡しまでの期間が相当長期にわたるものについて適用される。工事進行基準が，この種の長期請負工事に適用される根拠は，次の２点に要約できる。

| | | |
|---|---|---|
| 1 | 収益の期間帰属の合理性 | 工事の収益が工事の各段階を通じて徐々に形成されると考えるかぎり，ビル・ダムなどの２期間以上にまたがる工事について，この工事収益の全額を引渡時点で計上する（工事完成基準）ことは合理的でない。なぜなら，この工事完成基準によれ |

| | | |
|---|---|---|
| | | ば，工事収益はすべて引渡しの期間に帰属することとなり，収益額の期間配分は不公平なものとなる。工事完成基準のもとでは，期間利益の指標性は著しく損われる。ここに，工事の各段階において収益を計上しようとの考え方が生じてくる。工事進行基準はこの考え方にもとづくもので，その適用を通じて工事収益の期間配分は合理的なものになる。<br>もちろん，請負工事であっても，工事が１期間内に完成するような「短期」のものであれば，工事進行基準を適用すべき実際的理由は見当たらない。この場合には，工事完成基準によっても，収益額の期間配分に不公平は生じない。 |
| 2 | 計算の確実性 | 請負工事においては，通常，契約によって工事の買取および工事代金の大きさは事前に取り決めてある。引渡以前であっても見込生産の場合と比べて，請負工事収益の実現可能性および実現額についての見積りは相対的に確実なものだと考えられる。言い換えれば，工事請負契約の存在が，工事段階における収益の計上に関し客観的な証拠を提供しているものといえる。 |

工事進行基準の適用要件は，以下のようになっている。工事の進行途上においてその進捗部分について「成果の確実性が認められる場合」には，工事進行基準を適用する。これに対して，「成果の確実性が認められない場合」には，工事完成基準を適用する。

そして，「成果の確実性が認められる」ためには，①工事収益総額，②工事原価総額および③決算日における工事進捗度，の各要素について信頼性をもって見積もることができなければならない。このうち最大のポイントは，①工事収益総額の信頼性をもった見積りにある。そのための前提条件として，工事の完成見込みが確実であることと，工事契約において対価の定め（当事者間での実質的に合意された対価に関する定め，対価の決済条件および決済方法に関する定め）があることが必要である。

問２　工事収益額の測定方法

工事進行基準を適用する場合，当期に帰属させるべき工事収益の額をどのように計算するかは，請負代金の決定方法によって異なる。

<table>
<tr><td rowspan="4">1</td><td rowspan="4">総額請負契約</td><td colspan="2">この契約による場合，工事収益額は次の方法で計算される。<br>・工事収益総額（工事契約代金）　×各期工事進捗度＝各期工事収益額<br>この計算式において，「工事収益総額（工事契約代金）」は契約の段階で確定しているから，「工事進捗度」の測定方法がここでの問題になる。工事の進捗度を測定する方法として，一般に次の3つが考えられる。</td></tr>
<tr><td>イ</td><td>見積工事原価総額（材料費，直接原価，総原価など）に対する実際工事原価の割合（原価比例法）</td></tr>
<tr><td>ロ</td><td>見積総作業量（工事日数，工事面積など）に対する実際作業量の割合</td></tr>
<tr><td>ハ</td><td>技術的見地からする完成割合</td></tr>
</table>

| | | |
|---|---|---|
| | | これら３つの方法は，工事の性質に合わせて選択適用されなければならない。工事原価が収益を均等に稼得すると考えられる性質の工事については，(イ)を適用すべきである。同様に，作業量が工事の実質的な進行割合を示すような工事（たとえば，均質的な条件の堤防の築造工事の場合における完成区間距離による測定）には(ロ)を適用するのが妥当である。<br>ただし，わが国の会計基準は，決算日における工事進捗度の見積方法として，原価比例法（上の(イ)の方法）の適用が合理的な場合には，原価比例法によることをすすめている。 |
| 2 | 原価補償契約 | この契約による場合，工事収益額は実際工事原価に一定率の利益を加算する方法で計算される。この方法は，実質的に原価比例法であると考えられる。<br>・実際工事原価×(１＋利益率)＝工事収益額<br>この場合の「実際工事原価」は，適正な原価計算基準により算定された正常実際工事原価によるのを原則とする。したがって，異常な仕損，減損，盗難による損失，火災損失などはこれに含められないことに留意する。 |
| 3 | 単価精算契約 | この契約によるときは，完成作業単位量に単位当たりの請負工事収益額を乗じて工事収益が計算される。<br>・完成作業単位量×単位請負収益額＝工事収益額 |

## 問題

〔第２問〕 建設業会計における負債に関する次の文中の[　　]の中に入れるべき最も適当な用語を下記の<用語群>の中から選び、その記号（ア～ネ）を解答用紙の所定の欄に記入しなさい。（14点）

負債は、その発生原因により、[ 1 ]取引から生じた債務、[ 2 ]取引から生じた債務、損益計算から生じた債務の３つに区別される。また、これらの負債は、[ 3 ]支出を伴うか否かにより[ 3 ]債務と非[ 3 ]債務の２つに区別される。

[ 1 ]取引から生じた債務のうち[ 3 ]債務は、手形債務とその他の[ 3 ]債務とに分けられる。これらのうちその他の[ 3 ]債務には、①原料・資材などの購入、発注工事の引き渡しなどの生産活動に関連して発生した債務、②経費および一般管理活動にもとづいて発生した債務、③固定資産の購入その他の通常の取引以外の取引により発生した債務がある。これらのうち、①は[ 4 ]の項目で、②と③は未払金またはその発生原因を示す名称の項目で貸借対照表に記載される。非[ 3 ]債務については、たとえば工事の請負代金の前受分は債務となるが、これは将来、建設物の引き渡し等のサービスの提供を通じて決済される。この点で[ 3 ]債務とは異なり、これは貸借対照表において[ 5 ]の項目で記載される。

[ 2 ]取引から生じた債務には借入金と社債の２つがある。これらのうち借入金は、貸借対照表上、期間の長短・借入先の違いなどにより、区別して記載される。

損益計算から生じた債務とは、期間利益の計算を正確に行うための期間収益・期間費用の帰属計算の結果生じた貸方項目をいう。これには、[ 6 ]、未払費用、および[ 7 ]がある。これらのうち、[ 6 ]と未払費用については、見越負債あるいは累積中の債務という一定の債務性が認められるが、[ 7 ]は条件付債務や非債務などであり、法的な性質は異なる。

<用語群>

| | | | |
|---|---|---|---|
| ア　投資 | イ　財務 | ウ　資本 | エ　積立金 |
| オ　準備金 | カ　引当金 | キ　営業 | ク　経常 |
| コ　臨時 | サ　完成工事未収入金 | シ　未収入金 | ス　工事未払金 |
| セ　未収収益 | ソ　前受収益 | タ　前受金 | チ　未成工事受入金 |
| ト　未成工事支出金 | ナ　流動 | ニ　固定 | ネ　金銭 |

## 解答＆解説

記号（ア～ネ）

| 1 | 2 | 3 | 4 | 5 | 6 | 7 |
|---|---|---|---|---|---|---|
| キ | イ | ネ | ス | チ | ソ | カ |

債権者が企業の資産に対してもっている請求権は，負債（債権者持分）と呼ばれる。この債権者持分なる負債は，その発生原因により，「営業取引」から生じた債務，「財務取引」から生じた債務，「損益計算」から生じた債務の３つに区別される。ここで，問題文の文意から，［ 1 ］は，「営業（キ）」であると推測できる。また，これらの負債は，金銭支出を伴うか否かにより「金銭債務」と「非金銭債務」の２つに区別される。よって，［ 3 ］は，「金銭（ネ）」が適当である。

［ 2 ］は，「借入金と社債」というキーワードにより，「財務（イ）」だと分かる。［ 4 ］は，「①原料・資材などの購入，発注工事の引き渡しなどの生産活動に関連して発生した債務」という記述により，「工事未払金（ス）」だと推測がつく。［ 5 ］は，「工事の請負代金の前受分」というキーワードにより，「未成工事受入金（チ）」が入るだろう。［ 6 ］は，「［ 6 ］と未払費用については，見越負債あるいは累積中の債務」という記述により，経過勘定項目の負債である「前受収益（ソ）」が正解となる。［ 7 ］は，「条件付債務，非債務，法的な性質と異なる」というキーワードから，「引当金（カ）」が最も良いと考えられる。

## 問題

〔第３問〕 財務会計に関するわが国の基本的な考え方に照らして、以下の会計処理のうち、認められるものには「A」、認められないものには「B」を解答用紙の所定の欄に記入しなさい。（16点）

1． かねて発行していた新株予約権（自己新株予約権）を取得した。なお、自己新株予約権の代価と取得に要した付随費用とを合算して自己新株予約権の取得原価とした。

2． 建設業を事業目的としている当社は、短期売買（トレーディング）目的で甲社株式を購入した。なお、キャッシュ・フロー計算書において、当該売買にかかるキャッシュ・フローは、その保有目的に合わせて営業活動によるキャッシュ・フローの区分に計上した。

3． 耐用年数が到来したが、なお使用中の機械について、その金額が少額であったために、未償却残高（残存価額）を簿外資産として処理した。

4． 使用中の機械が故障したが、工事に支障がないために修理は次期に行うこととした。これに伴い発生する修繕費についても、その金額が少額であったために、当期においては修繕引当金を計上しないこととした。

5． 得意先への証票発行事務の時間的および経済的負担軽減を目的として専用のソフトウェアを購入した。その目的は十分に達成されていると判断できたが、当該ソフトウェアの購入費については、「研究開発費等に係る会計基準」に従い、当期の費用として処理した。

6．　建設現場で使用する機械を購入したが、当社の資金繰りの関係上、販売会社に代金は5回の分割払いとすることを申し入れ承諾された。当期のキャッシュ・フロー計算書では、当該分割払いが当社にとっては資金調達に該当するため、決算時に支払済みとなっていた3回分の分割代金は財務活動によるキャッシュ・フローの区分に計上した。

7．　機械装置の減価償却方法を、正当な理由により、定額法から定率法に変更した。減価償却方法の変更は会計方針の変更に該当するが、「会計方針の開示、会計上の変更及び誤謬の訂正に関する会計基準」に従い遡及適用は行わなかった。

8．　当社は、取引先乙社の借入金について債務保証をしている。乙社の財政状況は良好で、当面、当該借入金が返済不能になる危険は見込まれないが、保守主義の観点から、当該借入金全額について債務保証損失引当金を計上し、その繰入額を当期の損益計算書に計上した。

## 解答&解説

記号（AまたはB）

| 1 | 2 | 3 | 4 | 5 | 6 | 7 | 8 |
|---|---|---|---|---|---|---|---|
| A | B | B | A | B | A | A | B |

| 問題 | 正解 | 解　説 |
|---|---|---|
| 1 | A | 自己新株予約権を取得したときの取得価額は，取得した自己新株予約権の時価（取得した自己新株予約権の時価よりも支払対価の時価の方が，より高い信頼性をもって測定可能な場合には，支払対価の時価）に取得時の付随費用を加算して算定する。 |
| 2 | B | 当該株式は，「営業活動」によるキャッシュ・フローの区分ではなく，「投資活動」によるキャッシュ・フローの区分に計上される。 |
| 3 | B | 使用中の機械（耐用年数が到来）である以上，その金額が少額であっても，当該機械は未償却残高（残存価額）により次期以降に繰り越される。 |
| 4 | A | 重要性の低い引当金項目は，それを計上しないことが認められている（企業会計原則注解の注1）。 |
| 5 | B | 社内利用のソフトウェアについては，完成品を購入した場合のように，その利用により将来の収益獲得または費用削減が確実であると認められる場合には，当該ソフトウェアの取得に要した費用を「資産」として計上しなければならない（当会計基準四3）。 |
| 6 | A | 財務取引としての性格が強いため，財務活動によるキャッシュ・フローの区分に計上する。 |

| 7 | A | 有形固定資産等の減価償却方法および無形固定資産の償却方法は，会計方針に該当するが，その変更については遡及適用を行わない（当会計基準第19項，第20項）。 |
|---|---|---|
| 8 | B | 当該損失は「発生の可能性が低い」ため，引当金設定要件を満たさない。よって，当該借入金全額について債務保証損失引当金を計上することはできない。 |

〔第４問〕　Ａ社は、次の<条件>でＢ社と共同企業体（ジョイント・ベンチャー、以下、ＪＶという）を結成した。下の問１～問５に答えなさい。なお、仕訳において使用する勘定科目は下記の<勘定科目群>から選び、その記号（ア～チ）と勘定科目を書くこと。（14点）

<条件>

1．ＪＶの構成会社
　　Ａ社（スポンサー企業）　出資割合　70％
　　Ｂ社（サブ企業）　出資割合　30％
　　会計期間は両社とも１年間、決算期も同一である。

2．ＪＶ工事の内容
　　請負金額　¥70,000,000
　　工事原価　¥56,000,000
　　工事総利益　¥14,000,000
　　（注）　消費税は考慮しない。

3．ＪＶにおいて発生した取引は、各構成員に直ちに通知する。

4．ＪＶの会計処理は、独立会計方式による。

5．ＪＶの完成工事高については、工事完成基準で計上する。

問１　ＪＶは発注者より工事に係る前受金¥20,000,000を受け取り、直ちに当座預金に入金した。なお、この前受金は構成員に分配しない。ＪＶとＡ社の仕訳を示しなさい。

問２　工事原価¥56,000,000が発生したが、代金は未払いである。ＪＶはこの原価について各構成員に出資の請求をした。ＪＶとＢ社の仕訳を示しなさい。

問３　工事原価¥56,000,000を支払うため、前受金¥20,000,000で充当できない不足分につき構成員各社が現金で出資し、ＪＶは直ちに当座預金に入金した。ＪＶとＢ社の仕訳を示しなさい。

問４　ＪＶは問３の対価を、小切手を振り出して支払った。ＪＶとＡ社の仕訳を示しなさい。

問５　ＪＶの決算におけるＪＶとＡ社の仕訳を示しなさい。なお、工事は完成し、すでに発注者に引き渡し済みである。

<勘定科目群>

| | | | |
|---|---|---|---|
| ア　現金 | イ　当座預金 | ウ　資本金 | エ　完成工事原価 |
| オ　完成工事高 | カ　完成工事未収入金 | キ　未収入金 | ク　未成工事受入金 |
| コ　前受金 | サ　未成工事支出金 | シ　建設仮勘定 | ス　ＪＶ出資金 |
| セ　Ａ社出資金 | ソ　Ｂ社出資金 | タ　工事未払金 | チ　未払分配金 |

## 解答&解説

記号（ア〜チ）も必ず記入のこと

| | | 借方 | | | 貸方 | | |
|---|---|---|---|---|---|---|---|
| | | 記号 | 勘定科目 | 金額 | 記号 | 勘定科目 | 金額 |
| 問1 | JV | イ | 当座預金 | 20000000 | ク | 未成工事受入金 | 20000000 |
| | A社 | ス | JV出資金 | 14000000 | ク | 未成工事受入金 | 14000000 |
| 問2 | JV | サ | 未成工事支出金 | 56000000 | タ | 工事未払金 | 56000000 |
| | B社 | サ | 未成工事支出金 | 16800000 | タ | 工事未払金 | 16800000 |
| 問3 | JV | イ | 当座預金 | 36000000 | セ<br>ソ | A社出資金<br>B社出資金 | 25200000<br>10800000 |
| | B社 | ス | JV出資金 | 10800000 | ア | 現金 | 10800000 |
| 問4 | JV | タ | 工事未払金 | 56000000 | イ | 当座預金 | 56000000 |
| | A社 | タ | 工事未払金 | 39200000 | ス | JV出資金 | 39200000 |
| 問5 | JV | オ<br>セ<br>ソ | 完成工事高<br>A社出資金<br>B社出資金 | 70000000<br>25200000<br>10800000 | エ<br>チ | 完成工事原価<br>未払分配金 | 56000000<br>50000000 |
| | A社 | ク<br>カ<br>エ | 未成工事受入金<br>完成工事未収入金<br>完成工事原価 | 14000000<br>35000000<br>39200000 | オ<br>サ | 完成工事高<br>未成工事支出金 | 49000000<br>39200000 |

（単位：円）

問1

発注者より前受金¥20,000,000を受け取ったときは，まずJVの会計として記録する。

JV：（借）当座預金　20,000,000　（貸）未成工事受入金　20,000,000

この取引では，その前受金を各構成員に分配しないので，実質的には構成員各社がJVに出資したものとして取り扱う。したがって，借方科目は「JV出資金」勘定とする。

A社：（借）JV出資金　14,000,000　（貸）未成工事受入金　14,000,000

・¥20,000,000×出資割合70％＝¥14,000,000

B社：（借）JV出資金　6,000,000　（貸）未成工事受入金　6,000,000

・¥20,000,000×出資割合30％＝¥6,000,000

問2

工事原価¥56,000,000が発生したとき，JV は未成工事支出金と工事未払金を計上する。

JV：（借）未成工事支出金　56,000,000　（貸）工事未払金　56,000,000

一方，同時に各構成員に持分相当額を請求している。各構成員はJVからの請求を受けて，持分相当額の未成工事支出金と工事未払金を計上することになる。

A社：（借）未成工事支出金　39,200,000　（貸）工事未払金　39,200,000

・¥56,000,000×70％＝¥39,200,000

B社：（借）未成工事支出金　16,800,000　（貸）工事未払金　16,800,000

・¥56,000,000×30％＝¥16,800,000

問3

工事原価¥56,000,000と前受金¥20,000,000の差額¥36,000,000につき，各構成員は出資割合に応じて，現金を出資することとなる。各構成員は，「JV 出資金」勘定を使用する。

A社：（借）JV 出資金　25,200,000　（貸）現　　金　25,200,000

・¥36,000,000×70％＝¥25,200,000

B社：（借）JV 出資金　10,800,000　（貸）現　　金　10,800,000

・¥36,000,000×30％＝¥10,800,000

これに対してJVは，各構成員からの出資金につき，「○社出資金」勘定を使用する。

JV：（借）当座預金　36,000,000　（貸）A社出資金　25,200,000

B社出資金　10,800,000

問4

JVは，工事原価¥56,000,000について，小切手を振り出して支払った。

JV：（借）工事未払金　56,000,000　（貸）当座預金　56,000,000

JVが支払いを行った時点で，各構成員も工事未払金の減少を記帳する。相手勘定としては，仮勘定である「JV 出資金」勘定を用いる。

A社：（借）工事未払金　39,200,000　（貸）JV 出資金　39,200,000

・¥56,000,000×70％＝¥39,200,000

B社：（借）工事未払金　16,800,000　（貸）JV 出資金　16,800,000

・¥56,000,000×30％＝¥16,800,000

問5

当該工事が完成し，発注者に引き渡した。工事が完成したため，JVで完成工事高，完成工事原価および完成工事未収入金を計上する。なお，各構成員に関しては，仕訳は不要である。

| | | | | | |
|---|---|---|---|---|---|
| JV： | （借）未成工事受入金 | 20,000,000※問1 | （貸）完成工事高 | 70,000,000 |
| | 完成工事未収入金 | 50,000,000※貸借差額 | | |
| JV： | （借）完成工事原価 | 56,000,000 | （貸）未成工事支出金 | 56,000,000※問2 |

なお，JVについて，現状の残高試算表は次のようになっている。

残高試算表

| | | | |
|---|---|---|---|
| 完成工事未収入金 | 50,000,000 | 完成工事高 | 70,000,000 |
| 完成工事原価 | 56,000,000 | A社出資金 | 25,200,000 |
| | | B社出資金 | 10,800,000 |
| | 106,000,000 | | 106,000,000 |

（注）JVの工事総利益＝完成工事高￥70,000,000－完成工事原価￥56,000,000＝￥14,000,000

JVの決算は，上記の残高試算表のうち，「完成工事高，完成工事原価および各構成員の出資金」の相殺処理を行う。貸借差額は，「未払分配金」勘定で処理する。ちなみに，未払分配金￥50,000,000の内訳は，A社が￥35,000,000（＝￥50,000,000×70％）であり，B社が￥15,000,000（＝￥50,000,000×30％）となっている。

| | | | | |
|---|---|---|---|---|
| JV： | （借）完成工事高 | 70,000,000 | （貸）完成工事原価 | 56,000,000 |
| | A社出資金 | 25,200,000 | 未払分配金 | 50,000,000※貸借差額 |
| | B社出資金 | 10,800,000 | | |

JVの決算を受けて，各構成員も決算を行う。

| | | | | |
|---|---|---|---|---|
| A社： | （借）未成工事受入金※問1 | 14,000,000 | （貸）完成工事高 | 49,000,000 |
| | 完成工事未収入金 | 35,000,000※貸借差額 | | |

・完成工事高＝￥70,000,000×70％＝￥49,000,000

| | | | | |
|---|---|---|---|---|
| | （借）完成工事原価 | 39,200,000 | （貸）未成工事支出金 | 39,200,000※問2 |

| | | | | |
|---|---|---|---|---|
| B社： | （借）未成工事受入金※問1 | 6,000,000 | （貸）完成工事高 | 21,000,000 |
| | 完成工事未収入金 | 15,000,000※貸借差額 | | |

・完成工事高＝￥70,000,000×30％＝￥21,000,000

| | | | | |
|---|---|---|---|---|
| | （借）完成工事原価 | 16,800,000 | （貸）未成工事支出金 | 16,800,000※問2 |

【参考】決算後の取引等

JVの決算整理後残高試算表

| | | | |
|---|---|---|---|
| 完成工事未収入金 | 50,000,000 | 未払分配金 | 50,000,000 |

A社の決算整理後残高試算表

| | | | |
|---|---|---|---|
| 完成工事未収入金 | 35,000,000 | 現　　金 | 25,200,000 |
| 完成工事原価 | 39,200,000 | 完成工事高 | 49,000,000 |
| | 74,200,000 | | 74,200,000 |

（注）A社の完成工事総利益＝完成工事高¥49,000,000－完成工事原価¥39,200,000＝¥9,800,000

B社の決算整理後残高試算表

| | | | |
|---|---|---|---|
| 完成工事未収入金 | 15,000,000 | 現　　金 | 10,800,000 |
| 完成工事原価 | 16,800,000 | 完成工事高 | 21,000,000 |
| | 31,800,000 | | 31,800,000 |

（注）B社の完成工事総利益＝完成工事高¥21,000,000－完成工事原価¥16,800,000＝¥4,200,000

請負代金のうち残額が当座預金に入金され，各構成員に現金で分配した。

| | | | | |
|---|---|---|---|---|
| JV： | （借）当座預金 | 50,000,000 | （貸）完成工事未収入金 | 50,000,000 |
| | （借）未払分配金 | 50,000,000 | （貸）現　金 | 35,000,000※A社 |
| | | | 現　金 | 15,000,000※B社 |

| | | | | |
|---|---|---|---|---|
| A社： | （借）現　金 | 35,000,000 | （貸）完成工事未収入金 | 35,000,000 |
| B社： | （借）現　金 | 15,000,000 | （貸）完成工事未収入金 | 15,000,000 |

〔第５問〕　次の<決算整理事項等>に基づき、解答用紙に示されているＹ建設株式会社の当会計年度（20×7年４月１日～20×8年３月31日）に係る精算表を完成しなさい。

ただし、計算過程で端数が生じた場合は、計算の最終段階で千円未満の端数を切り捨てること。なお、整理の過程で新たに生じる勘定科目で、精算表上に指定されている科目は、そこに記入し、（　　）については各自で考えること。

（36点）

<決算整理事項等>

1．機械装置のうち１台は、20×3年４月１日に取得し、同日より使用を開始したものであり、取得した時点での条件は次のとおりである。

取得原価　20,000千円　　残存価額　2,000千円　　耐用年数　５年　　減価償却方法　定額法

使用終了時に当該機械装置を撤去する契約上の義務があり、撤去に要する支出額は1,000千円と見積られた。

当該義務について資産除去債務を計上し（割引率3％）、処理を行ってきた。

当該機械装置の使用が20×8年3月31日に終了したので撤去すると共に売却した。撤去に要した実際の支出額は1,050千円、売却額は2,120千円であった。必要な決算処理を行うと同時に、当該撤去・売却取引を次のように処理していたので修正する。なお、減価償却費は完成工事原価に計上する。

| | | | | | |
|---|---|---|---|---|---|
| （借） | 仮 払 金 | 1,050,000 | （貸） | 現 金 預 金 | 1,050,000 |
| （借） | 現 金 預 金 | 2,120,000 | （貸） | 仮 受 金 | 2,120,000 |

2．1で処理した機械装置以外の機械装置（同一機種で5台）は、20×1年4月1日に取得し、同日より使用を開始したものであり、取得した時点での条件は次のとおりである。

取得原価：60,000千円　　残存価額：ゼロ　　耐用年数：10年　　減価償却方法：定額法

しかし、これらの機械装置のうち1台が決算日に水没し、今後使用できないことが判明したために廃棄処分する。なお、減価償却費は全額未成工事支出金に計上し、廃棄処分に伴い発生する損失は固定資産除却損に計上すること。

3．有価証券はすべて20×6年4月1日に@97.0円で購入したA社社債（額面総額：20,000千円、年利：2.0％、利払日：毎年9月と3月の末日、償還期日：20×9年3月31日）である。この社債はその他有価証券に分類されており、期末の時価は19,950千円である。償却原価法（定額法）を適用すると共に評価替えを行う。また、実効税率を30％として税効果会計を適用する。

4．退職給付引当金への当期繰入額は3,050千円であり、このうち2,520千円は工事原価、530千円は販売費及び一般管理費である。なお、現場作業員の退職給付引当金については、月次原価計算で月額225千円の予定計算を実施しており、20×8年3月までの毎月の予定額は、未成工事支出金の借方と退職給付引当金の貸方にすでに計上されている。この予定計上額と実際発生額との差額は、未成工事支出金および退職給付引当金に加減する。

5．期末時点で施工中の工事は次の工事だけであり、収益認識には原価比例法による工事進行基準を適用している。

工事期間は4年（20×5年4月1日～20×9年3月31日）、当初契約時の工事収益総額は750,000千円、工事原価総額の見積額は630,000千円で、前受金として着手前に200,000千円、第2期末に150,000千円をそれぞれ受領している。

当期末までの工事原価発生額は、第1期が107,100千円、第2期が132,300千円、第3期が202,600千円であった。資材価格と人件費の高騰により、第3期首（当期首）に工事原価総額の見積りを680,000千円に変更するとともに、交渉により、請負工事代金総額を780,000千円とすることが認められた。

6．受取手形と完成工事未収入金の期末残高に対して2％の貸倒引当金を設定する（差額補充法）。このうち1,300千円については税務上損金算入が認められないため、実効税率を30％として税効果会計を適用する。

7．当期の完成工事高に対して0.5％の完成工事補償引当金を設定する（差額補充法）。

8．法人税、住民税及び事業税と未払法人税等を計上する。なお、実効税率は30％とする。

9．税効果を考慮した上で、当期純損益を計上する。

**解答＆解説**

# 精　算　表

（単位：千円）

| 勘定科目 | 残高試算表 |  | 整理記入 |  | 損益計算書 |  | 貸借対照表 |  |
|---|---|---|---|---|---|---|---|---|
|  | 借方 | 貸方 | 借方 | 貸方 | 借方 | 貸方 | 借方 | 貸方 |
| 現金預金 | 6923 |  |  |  |  |  | 6923 |  |
| 受取手形 | 28000 |  |  |  |  |  | 28000 |  |
| 完成工事未収入金 | 58200 |  | (5) 157000 |  |  |  | 215200 |  |
| 貸倒引当金 |  | 1032 |  | (6) 3832 |  |  |  | 4864 |
| 未成工事支出金 | 195068 |  | (2) 1200<br>(2) 4800<br>(7) 1712 | (4) 180<br>(5) 202600 |  |  |  |  |
| 仮払法人税等 | 5600 |  |  | (8) 5600 |  |  |  |  |
| 仮払金 | 1050 |  |  | (1) 1050 |  |  |  |  |
| 機械装置 | 80863 |  |  | (1) 20863<br>(2) 12000 |  |  | 48000 |  |
| 機械装置減価償却累計額 |  | 51092 | (1) 18863<br>(2) 7200 | (1) 3771<br>(2) 4800 |  |  |  | 33600 |
| 資産除去債務 |  | 971 | (1) 1000 | (1) 29 |  |  |  |  |
| 土地 | 20000 |  |  |  |  |  | 20000 |  |
| 投資有価証券 | 19600 |  | (3) 200<br>(3) 150 |  |  |  | 19950 |  |
| その他の諸資産 | 33563 |  |  |  |  |  | 33563 |  |
| 仮受金 |  | 2120 | (1) 2120 |  |  |  |  |  |
| 工事未払金 |  | 41688 |  |  |  |  |  | 41688 |
| 未成工事受入金 |  | 65000 | (5) 65000 |  |  |  |  |  |
| 完成工事補償引当金 |  | 823 |  | (7) 1712 |  |  |  | 2535 |
| 退職給付引当金 |  | 106124 | (4) 180 | (4) 530 |  |  |  | 106474 |
| その他の諸負債 |  | 38865 |  |  |  |  |  | 38865 |
| 資本金 |  | 100000 |  |  |  |  |  | 100000 |
| 資本準備金 |  | 15000 |  |  |  |  |  | 15000 |
| 利益準備金 |  | 3000 |  |  |  |  |  | 3000 |
| 繰越利益剰余金 |  | 2000 |  |  |  |  |  | 2000 |
| 完成工事高 |  | 285000 |  | (5) 222000 |  | 507000 |  |  |
| 完成工事原価 | 228240 |  | (1) 3771<br>(5) 202600 |  | 434611 |  |  |  |
| 有価証券利息 |  | 400 |  | (3) 200 |  | 600 |  |  |
| 雑収入 |  | 1088 |  |  |  | 1088 |  |  |
| 販売費及び一般管理費 | 30496 |  | (4) 530 |  | 31026 |  |  |  |
| その他の諸費用 | 6600 |  |  |  | 6600 |  |  |  |
|  | 714203 | 714203 |  |  |  |  |  |  |
| 利息費用 |  |  | (1) 29 |  | 29 |  |  |  |
| 履行差額 |  |  | (1) 50 |  | 50 |  |  |  |
| 固定資産売却（益） |  |  |  | (1) 120 |  | 120 |  |  |
| 固定資産除却損 |  |  | (2) 3600 |  | 3600 |  |  |  |
| 貸倒引当金繰入額 |  |  | (6) 3832 |  | 3832 |  |  |  |
| その他有価証券評価差額金 |  |  |  | (3) 105 |  |  |  | 105 |
| 繰延税金資産 |  |  | (6) 390 |  |  |  | 390 |  |
| 繰延税金負債 |  |  |  | (3) 45 |  |  |  | 45 |
| 未払法人税等 |  |  |  | (8) 3508 |  |  |  | 3508 |
| 法人税、住民税及び事業税 |  |  | (8) 9108 |  | 9108 |  |  |  |
| 法人税等調整額 |  |  |  | (6) 390 |  | 390 |  |  |
|  |  |  | 483335 | 483335 | 488856 | 509198 | 372026 | 351684 |
| 当期（純利益） |  |  |  |  | 20342 |  |  | 20342 |
|  |  |  |  |  | 509198 | 509198 | 372026 | 372026 |

## 決算整理仕訳（単位：千円）

1．機械装置（撤去・売却取引）

ア．減価償却費の計上

当該資産売却の会計処理をするためには，資産除去債務を含めた取得原価を求める必要がある。残高試算表の「機械装置」勘定の残高内訳は，「当該撤去・売却取引分」と「資料２の機械装置（同一機種で５台）」である。よって，残高試算表残高から後者の取得原価を控除すれば，当該撤去・売却取引の機械装置の取得原価が算出できる。

①取得原価＝80,863[※残高試算表]－60,000[※資料２]＝20,863

ちなみに，購入時の仕訳は以下のようになっている（現金預金で支払い）。

| | | | | | |
|---|---|---|---|---|---|
| （借） | 機械装置 | 20,863[①] | （貸） | 現金預金 | 20,000 |
| | | | | 資産除去債務 | 863[※貸借差額] |

同様に，当該機械装置の期首時点の機械装置減価償却累計額を求める必要がある。残高試算表の「機械装置減価償却累計額」勘定の残高内訳は，「当該撤去・売却取引分」と「資料２の機械装置（同一機種で５台）」である。よって，残高試算表残高から後者の機械装置減価償却累計額を控除すれば，当該撤去・売却取引の機械装置の機械装置減価償却累計額が算出できる。

②期首の機械装置減価償却累計額残高＝51,092[※残高試算表]－(60,000÷10年×経過年数６年)[※資料２]
＝15,092

当該機械装置は，当期末において，耐用年数を迎え撤去・売却を行っている。つまり，当該機械装置の決算整理後の残高は，残存価額にならなければならない。よって，減価償却費の計算は，期首時点の未償却残高（取得原価から減価償却累計額を控除したもの）と残存価額との差額で求めることができる。

③減価償却費＝期首時点の未償却残高－残存価額＝(①－②)－残存価額
＝(20,863－15,092)－2,000＝3,771

| | | | | | |
|---|---|---|---|---|---|
| （借） | 完成工事原価 | 3,771[③] | （貸） | 機械装置減価償却累計額 | 3,771 |

イ．売却取引（仮受金の清算）

| | | | | | |
|---|---|---|---|---|---|
| （借） | 機械装置減価償却累計額 | 18,863[※②＋③] | （貸） | 機械装置 | 20,863[※①] |
| | 仮受金 | 2,120 | | 固定資産売却益 | 120[※貸借差額] |

ウ．資産除去債務の増加

| | | | | | |
|---|---|---|---|---|---|
| （借） | 利息費用 | 29 | （貸） | 資産除去債務 | 29[④] |

④増加分＝撤去に要する見積額1,000－残高試算表971＝29

エ．資産除去債務の履行（仮払金の清算）

| (借) | | | (貸) | |
|---|---|---|---|---|
| (借) | 資産除去債務 | 1,000⑤ | (貸) 仮払金 | 1,050 |
| | 履行差額 | 50※貸借差額 | | |

⑤資産除去債務＝971※残高試算表＋29④＝1,000

2．機械装置（上記1以外）

(1) 廃棄分（1台分）

| (借) | | | (貸) | |
|---|---|---|---|---|
| (借) | 機械装置減価償却累計額 | 7,200② | (貸) 機械装置 | 12,000① |
| | 未成工事支出金 | 1,200③ | | |
| | 固定資産除却損 | 3,600※貸借差額 | | |

①取得原価＝60,000※5台分÷5台＝12,000

②期首の機械装置減価償却累計額＝12,000①÷10年×経過年数6年＝7,200

③当期の減価償却費＝12,000①÷10年＝1,200

(2) 廃棄以外分（4台分）

| (借) | | | (貸) | |
|---|---|---|---|---|
| (借) | 未成工事支出金 | 4,800 | (貸) 機械装置減価償却累計額 | 4,800 |

④取得原価＝60,000※5台分×4台÷5台＝48,000

⑤当期の減価償却費＝48,000④÷10年＝4,800

3．投資有価証券（A社社債）

(1) 償却原価法

| (借) | | | (貸) | |
|---|---|---|---|---|
| (借) | 投資有価証券 | 200② | (貸) 有価証券利息 | 200 |

①口数＝20,000,000円÷@100円＝200,000口

②償却原価法＝{20,000－(@97円×200,000口①÷1,000円)}÷償還期限3年

＝(20,000－19,400)÷3年＝200

(2) 期末評価

| (借) | | | (貸) | |
|---|---|---|---|---|
| (借) | 投資有価証券 | 150④ | (貸) 繰延税金負債 | 45⑤ |
| | | | その他有価証券評価差額金 | 105⑥ |

③帳簿価額＝19,600※残高試算表＋200(1)②＝19,800

④評価損益＝時価19,950－帳簿価額19,800③＝＋150（評価益）

⑤繰延税金負債＝150④×実効税率30％＝45

⑥その他有価証券評価差額金＝150④×(100％－実効税率30％)＝105

4．退職給付引当金の計上

| (借) | | | (貸) | |
|---|---|---|---|---|
| (借) | 退職給付引当金 | 180① | (貸) 未成工事支出金 | 180 |

①月額@225×12か月－実際発生額2,520＝＋180（超過）

| (借) | | | (貸) | |
|---|---|---|---|---|
| (借) | 販売費及び一般管理費 | 530 | (貸) 退職給付引当金 | 530 |

5．工事進行基準

| | | | |
|---|---|---|---|
| （借）未成工事受入金 | 65,000② | （貸）完成工事高 | 222,000③ |
| 完成工事未収入金 | 157,000※貸借差額 | | |
| （借）完成工事原価 | 202,600 | （貸）未成工事支出金 | 202,600 |

①前期までの完成工事高＝工事収益総額×工事進捗度

$$=750,000\times\frac{107,100+132,300}{630,000}=285,000$$

②未成工事受入金＝前受金受領額－前期までの完成工事高①

＝(200,000＋150,000)－285,000＝65,000※残高試算表

③当期の完成工事高＝工事収益総額×工事進捗度－前期までの完成工事高①

$$=780,000\times\frac{107,100+132,300+202,600}{680,000}-285,000=222,000$$

6．貸倒引当金の計上

| | | | |
|---|---|---|---|
| （借）貸倒引当金繰入額 | 3,832① | （貸）貸倒引当金 | 3,832 |

①繰入額＝(28,000＋58,200＋157,000※上記5)×2％－1,032※残高試算表＝3,832

| | | | |
|---|---|---|---|
| （借）繰延税金資産 | 390② | （貸）法人税等調整額 | 390 |

②繰延税金資産＝税務上の損金不算入額1,300×実効税率30％＝390

7．完成工事補償引当金の計上

| | | | |
|---|---|---|---|
| （借）未成工事支出金 | 1,712① | （貸）完成工事補償引当金 | 1,712 |

①繰入額＝(285,000＋222,000※上記5)×0.5％－823※残高試算表＝1,712

8．法人税，住民税及び事業税の計上

| | | | |
|---|---|---|---|
| （借）法人税，住民税及び事業税 | 9,108④ | （貸）仮払法人税等 | 5,600 |
| | | 未払法人税等 | 3,508※貸借差額 |

①総収益：完成工事高507,000＋有価証券利息600＋雑収入1,088＋固定資産売却益120
＝508,808

②総費用：完成工事原価434,611＋販売費及び一般管理費31,026＋その他の諸費用6,600
＋利息費用29＋履行差額50＋固定資産除却損3,600＋貸倒引当金繰入額3,832
＝479,748

③損金不算入項目※上記6：1,300

④法人税，住民税及び事業税：(①508,808－②479,748＋③1,300)×実効税率30％＝9,108

9．当期純利益の計算

| | | | （単位：千円） |
|---|---|---|---|
| | 総　収　益 | | 508,808 |
| | 総　費　用 | | 479,748 |
| | 税引前当期純利益 | | 29,060 |
| 法人税, | 住民税及び事業税 | 9,108 | |
| | 法人税等調整額 | △390 | 8,718 |
| | 当 期 純 利 益 | | 20,342 |

（29,060 → 8,718：実効税率30%に対応）

〔第１問〕　費用概念に関する以下の問に答えなさい。各問ともに指定した字数以内で記入すること。　(20点)

問１　広義および狭義それぞれの立場における費用概念を説明しなさい。(200字)

問２　経営成績を判断するための期間利益の計算において重視されるのは、広義と狭義どちらの費用概念か、理由と共に答えなさい。(300字)

## 解答＆解説

問１

①広義の立場における費用概念は、資本の払戻・修正以外の原因による一切の所有者持分の減少額をもって費用とする考え方である。よって、これには災害、盗難など生産活動と関係のない原因による減少額も含まれることになる。②狭義の立場における費用概念は、費用を財・用役の生産に関連した減少分に限定しようとする考え方である。よって、これには災害、盗難など生産活動と関係のない原因による減少額は含まれないことになる。

問2

企業の経営成績を判断する場合、期間利益は経常的に発生する損益を対象とするべきである。非経常的・臨時的な損益は、企業の通常の活動とは関係が薄いので、これらを含めて経営成績を判断することは好ましくない。そこで、期間利益の計算において、「広義の費用概念」を重視すれば、災害・盗難など生産活動と関係のない原因による損失が算入され、経営成績の判断にとっては好ましくない。一方、「狭義の費用概念」は、費用を財・用役の生産に関連した減少分に限定しようとする考え方なので、企業の通常の活動に関連している。したがって、経営成績を判断するための期間利益の計算において重視されるのは、「狭義の費用概念」だといえる。

問1，問2　費用の概念「費用と損失の区別」

費用の概念については広狭2つの見解が対立する。

「広義の立場における費用概念」は，資本の払戻・修正以外の原因による一切の所有者持分の減少額をもって費用とする考え方である。ここでは，財・用役の生産に関連して発生する費用はもちろん，災害，盗難など生産活動と関係のない原因による減少額も含まれる。

これに対して，「狭義の立場における費用概念」は，費用を財・用役の生産に関連した減少分に限定しようとする考え方である。このことから，この狭義説のもとでは，災害・盗難などによる減少分は費用に含まれず，損失とよばれることになる。

これら広狭2つの概念のうち，期間利益，とくに指標的な期間利益の計算にとって重要なのは「狭義の費用」，つまり財・用役の生産（給付）にかかわる減少分である。当然のことながら，期間利益は期間収益からそれに対応する費用を差し引いて計算される。この場合，対応するか否かの判定にあたって，財・用役の費消が当期や次期以降に計上される収益の稼得に対し直接または間接の役だちを有しているか否かに着目する。したがって，この対応計算を合理的に行うためには，対応計算に先だって，財・用役の減少部分を「収益の稼得活動と関係をもつ部分（費用）」と「それ以外の部分（損失）」とに明確に区別しておくことが必要である。

企業会計原則においても，こうした理由から，分配（処分）可能性利益の算定との関連で広義説の立場をとりつつも，その枠内で，収益の稼得と関係をもつ部分，すなわち「費用」と，それ以外の部分，すなわち「損失」とを明確に区別すべきものとしている。最後に，費用の分類を，まとめると以下のような表になる。なお，この分類における，経常・非経常項目，期間・期間外項目，および営業・営業外項目の区分の考え方は，収益の場合に準ずる。

<table>
<tr><td rowspan="4">費用（広義）</td><td rowspan="3">費用（狭義）</td><td rowspan="2">経常費用</td><td>期間費用</td><td>売上原価<br>販売費及び一般管理費<br>営業外費用</td></tr>
<tr><td>期間外費用</td><td rowspan="3">特別損失</td></tr>
<tr><td colspan="2">非経常費用</td></tr>
<tr><td colspan="3">損　失</td></tr>
</table>

## 問題

〔第２問〕　貸借対照表上の資産概念に関する次の文中の［　　］の中に入れるべき最も適当な用語を下記の<用語群>の中から選び、その記号（ア～チ）を解答用紙の所定の欄に記入しなさい。（14点）

貸借対照表上の資産概念は、会計の目的によって様々に規定され、それらには［ 1 ］可能価値説、前払［ 2 ］説、経済的［ 3 ］説がある。

［ 1 ］可能価値説によると、企業会計上の資産とは、現金に換えられる能力をもつ財貨・用役を指す。棚卸資産あるいは固定資産といった諸資産は、最終的に売却等により［ 1 ］されることをもって資産性が認められる。一般に理解しやすい概念であるが、この説によると、いわゆる［ 4 ］資産項目を貸借対照表の資産として計上する論拠はなくなってしまう。

前払［ 2 ］説によると、期間損益計算を重視する立場から、貸借対照表上の資産は、［ 1 ］性があるから資産性が認められるのではなく、それが利用されて［ 2 ］に転化するとき、その［ 2 ］を正しく把握するという立場で資産を考えることになる。このように考えると、［ 4 ］資産にも資産性が与えられるが、将来にわたり［ 2 ］に転化することがない、貸付金などの［ 5 ］資産の資産性が問題となる。

経済的［ 3 ］説もまた、会計の目的が期間損益の適正な算定にあるとの考えに立脚している。しかし、この説によると、会計上の資産とは、企業に経済的［ 3 ］を提供する能力を［ 6 ］的に有するものをいう。棚卸資産、固定資産、［ 5 ］資産等が企業に対して有用な経済的［ 3 ］を提供しうることは明白であるのみならず、［ 4 ］資産も将来に対して効果発現の期待をもたせうるという意味で資産性を有することになる。

わが国の「討議資料　財務会計の概念フレームワーク」では、「資産とは、過去の取引または事象の結果として、報告主体が支配している経済的［ 7 ］である。」と定義したうえで、［ 4 ］資産についても、「将来の［ 3 ］が期待できる」という条件の下に資産の定義に反しないとしている。

<用語群>

| | | | |
|---|---|---|---|
| ア　負債 | イ　公益 | ウ　便益 | エ　利益 |
| オ　換金 | カ　交換 | キ　金融 | ク　消費性 |
| コ　潜在 | サ　費用 | シ　収益 | ス　顕在 |
| セ　繰延 | ソ　営業 | タ　資金 | チ　資源 |

## 解答&解説

記号（ア～チ）

| 1 | 2 | 3 | 4 | 5 | 6 | 7 |
|---|---|---|---|---|---|---|
| オ | サ | ウ | セ | キ | コ | チ |

貸借対照表上の資産概念は，会計の目的により規定されることになる。会計の目的を企業の弁済能力の計算表示におく静態論の下では，以下で述べる「換金可能価値説」が採られている。それに対して，会計の目的を企業の収益力の計算表示におく動態論の下では，「前払費用説」あるいは「将来の経済的便益説（潜在的用益提供能力説）」が採られている。

［1］は，問題文の「現金に換えられる能力」というキーワードにより，「換金（オ）」だと分かる。そして，「前払［2］説」及び「それが利用されて［2］に転化」という記述により，［2］は「費用（サ）」だと推測がつく。［3］は，「経済的［3］」と空欄が続くので，「便益（ウ）」が正解となる。

［4］は，「［4］資産項目を貸借対照表の資産として計上する論拠はなくなってしまう」という記述により，資産性が問われるのは繰延資産だと分かるので，「繰延（セ）」を選択する。［5］は，「棚卸資産，固定資産，［5］資産等」や「貸付金などの［5］資産」という記述により，資産の種類だと分かるので「金融（キ）」が適当であろう。［6］は，「企業に経済的［3］を提供する能力を［6］的に有するもの」という記述により，「潜在（コ）」が考えられる。「討議資料　財務会計の概念フレームワーク」では，資産を以下のように定義づけている。「4．資産とは，過去の取引または事象の結果として，報告主体が支配している経済的資源をいう。」。したがって，［7］は「資源（チ）」が正解である。

〔第３問〕 財務会計に関するわが国の基本的な考え方に照らして、以下の各記述（１～８）のうち、全体が正しいと認められるものには「A」、認められないものには「B」を解答用紙の所定の欄に記入しなさい。（16点）

1. 決算において財務諸表を作成するにあたり、当期に取得した自己株式の取得原価を貸借対照表の純資産の部の株主資本から控除した。なお、自己株式の取得原価は、取得に要した付随費用も含めて算定した。
2. 親会社P社の決算日は毎年３月31日、子会社S社の決算日は毎年１月31日であり、連結決算日は、親会社の決算日に基づき毎年３月31日としている。連結決算にあたっては、P社およびS社の正規の決算を基礎として行っているが、差異期間中の親子会社間の取引に係る会計記録の重要な不一致については必要な整理を行っている。
3. 当社は、従業員の退職給付について、確定給付型退職給付制度を採用し、外部の信託銀行に退職給付基金を積み立てている。当期末に退職した従業員に対する退職金はすべて当該基金から支払われたので、当該支払いに関する会計処理は行わなかった。
4. 退職給付引当金（退職給付に係る負債）や資産除去債務について発生する利息費用は、財務費用なので、損益計算書において営業外費用の部に計上した。
5. 当期に行った新株の発行による収入、自己株式の取得による支出、配当金の支払いによる支出を、キャッシュ・フロー計算書の投資活動によるキャッシュ・フローの区分に計上した。
6. 株式会社は、その設立時に定款に定められた発行可能株式総数の４分の１以上の株式を発行しなければならないが、証券会社の事務手数料等の発行に要した諸経費は、株式交付費として処理する。株式交付費は支出時に費用として処理することを原則とするが、これを繰延資産として３年以内の期間で償却することが実務上認められている。
7. 保有している満期保有目的の債券についてデリバティブ取引によりヘッジを行ってきたが、ヘッジ対象の時価の上昇が極めて大幅になったため、当該ヘッジ手段はヘッジの要件を充たさなくなったと判断した。このため、当期よりヘッジ会計の適用を中止したが、前期まで繰り延べてきたヘッジ手段に係る損失は、ヘッジ対象に係る損益が認識されるまで引き続き繰り延べることとした。なお、ヘッジ対象の含み益が満期までにヘッジ手段に係る繰延損失を下回ることは予想されない。
8. 積立金は、その取崩が会社の純資産の額の減少を前提にするか否かを基準に、積極性積立金と消極性積立金の２つに分類される。これらのうち、その目的取崩が純資産の額の減少を前提とするものを積極性積立金といい、前提としないものを消極性積立金という。

## 解答＆解説

記号（AまたはB）

| 1 | 2 | 3 | 4 | 5 | 6 | 7 | 8 |
|---|---|---|---|---|---|---|---|
| B | A | A | B | B | B | A | B |

| 問題 | 正解 | 解　説 |
|---|---|---|
| 1 | B | 自己株式の取得に要した付随費用は，取得原価に含めるのではなく，損益計算書の営業外費用に計上する。 |
| 2 | A | 3か月以内の差異の親子会社の財務諸表を連結する場合，差異期間中の親子会社間の取引に係る会計記録の重要な不一致については，必要な整理を行なう。 |
| 3 | A | 本文のとおり。 |

| 4 | B | 退職給付引当金の利息費用は，割引計算による計算上の利息であり，損益計算書の販売費及び一般管理費の部（もしくは工事原価）に計上する。<br>また，資産除去債務の利息費用は，関連する有形固定資産の減価償却費と同じ区分に含めて計上する。 |
|---|---|---|
| 5 | B | キャッシュ・フロー計算書において，当期に行った新株の発行による収入，自己株式の取得による支出，配当金の支払いによる支出は，「投資活動」ではなく，「財務活動」の区分に計上しなければならない。 |
| 6 | B | 株式会社設立登記に至るまでの費用，すなわち，定款に定められた設立費用，発起人への報酬額及び設立登記のために支出した税額，株式発行の費用などは「創立費」として処理される。 |
| 7 | A | ヘッジ会計の要件が充たされなくなった場合，ヘッジ会計の要件が充たされていた間のヘッジ手段に係る損益又は評価差額は，ヘッジ対象に係る損益が認識されるまで引き続き繰り延べることになる。 |
| 8 | B | 積極性積立金はその取崩が純資産の額の減少を前提としない性質のもので，減債積立金や事業の充実のための積立金はこれに属する。一方，消極性積立金はその目的取崩が純資産の額の減少を前提とする性質のもので，退職給与積立金，配当平均積立金はこれに属する。<br>本文は，まったく逆の説明になっている。 |

〔第４問〕 次の<資料>に基づき下の設問に解答しなさい。なお、使用する勘定科目は下記の<勘定科目群>から選び、その記号（ア～コ）と勘定科目を書くこと。 （14点）

<資料>

当社（決算日：３月31日）は、20×2年４月１日にＡ社発行の固定利付社債を3,000,000円（償還期日：20×6年３月31日）で購入し、これをその他有価証券に分類した。購入と同時に、当該社債の価格変動リスクをヘッジするために、同一数量のＡ社社債について先渡契約（決済日：20×6年３月31日、決済価額：3,000,000円、売り予約）を締結した。その後、市場利子率の上昇により、20×3年３月31日のＡ社社債の時価は2,958,000円、先渡契約の時価は42,000円となった。なお、先渡契約の締結にかかる手数料はゼロとし、繰延ヘッジ、時価ヘッジともに、実効税率を30％として税効果会計を適用する。

問１ 繰延ヘッジをした場合の20×2年度決算時（20×3年３月31日）の仕訳を、社債に係る仕訳と先渡契約に係る仕訳とに分けて答えなさい。

問２ 時価ヘッジをした場合の20×2年度決算時（20×3年３月31日）の仕訳を、社債に係る仕訳と先渡契約に係る仕訳とに分けて答えなさい。

<勘定科目群>

ア 先渡契約　イ 先渡契約損益　ウ 繰延ヘッジ損益　エ 法人税等調整額
オ その他有価証券　カ 繰延税金資産　キ 繰延税金負債　ク その他有価証券評価差額金
コ 有価証券評価損益

## 解答&解説

記号（ア～コ）も必ず記入のこと

| | | 借方 | | | 貸方 | | |
|---|---|---|---|---|---|---|---|
| | | 記号 | 勘定科目 | 金額 | 記号 | 勘定科目 | 金額 |
| 問1 | 社債に係る仕訳 | カ<br>ク | 繰延税金資産<br>その他有価証券評価差額金 | 12600<br>29400 | オ | その他有価証券 | 42000 |
| | 先渡契約に係る仕訳 | ア | 先渡契約 | 42000 | キ<br>ウ | 繰延税金負債<br>繰延ヘッジ損益 | 12600<br>29400 |
| 問2 | 社債に係る仕訳 | コ<br>カ | 有価証券評価損益<br>繰延税金資産 | 42000<br>12600 | オ<br>エ | その他有価証券<br>法人税等調整額 | 42000<br>12600 |
| | 先渡契約に係る仕訳 | ア<br>エ | 先渡契約<br>法人税等調整額 | 42000<br>12600 | イ<br>キ | 先渡契約損益<br>繰延税金負債 | 42000<br>12600 |

（単位：円）

問1　繰延ヘッジ

(1)　ヘッジ対象：その他有価証券

その他有価証券を時価評価する。その時価下落分は，「その他有価証券」勘定（資産）を，資産の減少として貸方に記入する。

①　時価2,958,000円－取得原価3,000,000円＝△42,000円（時価下落）

繰延ヘッジでは，当該評価差額は損益として認識せず，繰り延べられることになる。よって，借方には「その他有価証券評価差額金」勘定（純資産）が計上され，問題で指示があるように，税効果会計を適用する。

（借）繰延税金資産　12,600②　（貸）その他有価証券　42,000①
その他有価証券評価差額金　29,400③
～純資産～

②　42,000円①×30％＝12,600円

③　42,000円①×（100％－30％）＝29,400円

(2) ヘッジ手段：先渡契約

先渡契約の時価を資産として認識する。よって，借方に「先渡契約」勘定（資産）を計上する。

繰延ヘッジは，時価評価されているヘッジ手段に係る損益又は評価差額を，ヘッジ対象に係る損益が認識されるまで，純資産として繰り延べる方法である。よって，貸方には「繰延ヘッジ損益」勘定（純資産）が計上され，問題で指示があるように，税効果会計を適用する。

| | | | | |
|---|---|---|---|---|
| （借） | 先渡契約<br>～資産～ | 42,000 | （貸） 繰延税金負債 | 12,600[④] |
| | | | 繰延ヘッジ損益<br>～純資産～ | 29,400[⑤] |

④ 先渡契約（時価）42,000円×30％＝12,600円

⑤ 先渡契約（時価）42,000円×（100％－30％）＝29,400円

問２ 時価ヘッジ

(1) ヘッジ対象：その他有価証券

時価ヘッジの場合，ヘッジ対象である「その他有価証券」を時価評価し，評価損益を認識することになる。

| | | | | |
|---|---|---|---|---|
| （借） | 有価証券評価損益<br>～費用～ | 42,000[⑥] | （貸） その他有価証券 | 42,000[⑥] |

⑥ 時価2,958,000円－取得原価3,000,000円＝△42,000円（時価下落）

上記の有価証券評価損益（費用）に，問題で指示があるように，税効果会計を適用する。

| | | | | |
|---|---|---|---|---|
| （借） | 繰延税金資産 | 12,600[⑦] | （貸） 法人税等調整額 | 12,600[⑦] |

⑦ 42,000円[⑥]×30％＝12,600円

(2) ヘッジ手段：先渡契約

ヘッジ対象である「その他有価証券」の評価損益が計上されたので，ヘッジ手段である「先渡契約」についても評価損益を計上する。これが時価ヘッジである。よって，先渡契約の時価を資産として認識し，評価損益も同時に計上する。

| | | | | |
|---|---|---|---|---|
| （借） | 先渡契約<br>～資産～ | 42,000 | （貸） 先渡契約損益<br>～収益～ | 42,000 |

上記の先渡契約損益（収益）に，問題で指示があるように，税効果会計を適用する。

| | | | | |
|---|---|---|---|---|
| （借） | 法人税等調整額 | 12,600[⑧] | （貸） 繰延税金負債 | 12,600[⑧] |

⑧ 先渡契約（時価）42,000円×30％＝12,600円

〔第 5 問〕 次の＜決算整理事項等＞に基づき、解答用紙に示されているX建設株式会社の当会計年度（20×7 年 4 月 1 日～20×8 年 3 月 31 日）に係る精算表を完成しなさい。

ただし、計算過程で端数が生じた場合は、計算の最終段階で千円未満の端数を切り捨てること。なお、整理の過程で新たに生じる勘定科目で、精算表上に指定されている科目は、そこに記入すること。 （36 点）

＜決算整理事項等＞

(1) 機械装置は、20×1 年 4 月 1 日に取得し、同日より使用を開始したものであり、取得した時点での条件は次のとおりである。

取得原価 30,000 千円　残存価額 ゼロ　耐用年数 10 年　減価償却方法 定額法

この資産について、期末に減損の兆候が見られたため、割引前のキャッシュ・フローの総額を見積もったところ、8,100 千円であった。また、割引後のキャッシュ・フローの総額は 7,941 千円と算定され、これは正味売却価額よりも大きかった。なお、減価償却費のうち 70 % は未成工事支出金に、30 % は完成工事原価に計上する。

(2) 貸付金 1,300 千円のうち 920 千円は、1 ドル＝ 115.00 円の時に貸し付けたものである。期末時点の為替レートは、1 ドル＝ 117.50 円である。

(3) 社債（償還期間：5 年　年利：2 %　利払日：毎年 9 月と 3 月の末日、年 2 回）はすべて 20×4 年 4 月 1 日に額面総額 20,000 千円を@ 98.0 円で発行し、償却原価法（定額法）を適用してきた。この社債のうち、額面 10,000 千円分を当期首（20×7 年 4 月 1 日）に@ 99.3 円で買入償還したが、その際に次のように処理していた。

（借） 社　債　9,930,000　（貸） 現 金 預 金　9,930,000

上の処理を修正するとともに、残りの社債に対して償却原価法（定額法）を適用する。また同時に、減債積立金 10,000 千円を取り崩す。なお、当期の社債の利払いについては、適切に処理されている。

(4) 退職給付引当金への当期繰入額は 2,650 千円であり、このうち 2,150 千円は工事原価、500 千円は販売費及び一般管理費である。なお、現場作業員の退職給付引当金については、月次原価計算で月額 160 千円の予定計算を実施しており、20×8 年 3 月までの毎月の予定額は、完成工事原価および未成工事支出金の借方と退職給付引当金の貸方にすでに計上されている。この予定計上額と実際発生額との差額は未成工事支出金に加減する。

(5) 期末時点で施工中の工事は次の工事だけであり、収益認識には原価比例法による工事進行基準を適用している。

工事期間は 4 年（20×5 年 4 月 1 日～20×9 年 3 月 31 日）、当初契約時の工事収益総額は 960,000 千円、工事原価総額の見積額は 700,000 千円で、前受金として着手前に 300,000 千円、第 2 期末に 200,000 千円をそれぞれ受領している。

当期末までの工事原価発生額は、第 1 期が 147,000 千円、第 2 期が 189,000 千円、第 3 期が 211,500 千円であった。資材価格と人件費の高騰により、第 3 期末に工事原価総額の見積りを 750,000 千円に変更するとともに、交渉により、請負工事代金総額を 1,000,000 千円とすることが認められた。

(6) 受取手形と完成工事未収入金の期末残高に対して 2 % の貸倒引当金を設定する（差額補充法）。このうち 1,500 千円については税務上損金算入が認められないため、実効税率を 30 % として税効果会計を適用する。

(7) 当期の完成工事高に対して 0.5 % の完成工事補償引当金を設定する（差額補充法）。

(8) 法人税、住民税及び事業税と未払法人税等を計上する。なお、実効税率は 30 % とする。

(9) 税効果を考慮した上で、当期純損益を計上する。

## 解答＆解説

# 精　算　表

（単位：千円）

| 勘定科目 | 残高試算表 | | 整理記入 | | 損益計算書 | | 貸借対照表 | |
|---|---|---|---|---|---|---|---|---|
| | 借方 | 貸方 | 借方 | 貸方 | 借方 | 貸方 | 借方 | 貸方 |
| 現金預金 | 7689 | | | | | | 7689 | |
| 受取手形 | 49000 | | | | | | 49000 | |
| 貸倒引当金 | | 300 | | (6)5280 | | | | 5580 |
| 貸付金 | 1300 | | (2)20 | | | | 1320 | |
| 未成工事支出金 | 208219 | | (1)2100<br>(4)230<br>(7)951 | (5)211500 | | | | |
| 機械装置 | 30000 | | | (1)1059 | | | 28941 | |
| 機械装置減価償却累計額 | | 18000 | | (1)3000 | | | | 21000 |
| 土地 | 15000 | | | | | | 15000 | |
| 仮払法人税等 | 8000 | | | (8)8000 | | | | |
| その他の諸資産 | 32777 | | | | | | 32777 | |
| 工事未払金 | | 12300 | | | | | | 12300 |
| 未成工事受入金 | | 39200 | (5)39200 | | | | | |
| 完成工事補償引当金 | | 1025 | | (7)951 | | | | 1976 |
| 社債 | | 9910 | | (3)10<br>(3)40 | | | | 9960 |
| 退職給付引当金 | | 12500 | | (4)730 | | | | 13230 |
| その他の諸負債 | | 83520 | | | | | | 83520 |
| 資本金 | | 120000 | | | | | | 120000 |
| 資本準備金 | | 13000 | | | | | | 13000 |
| 利益準備金 | | 12000 | | | | | | 12000 |
| 減債積立金 | | 10000 | (3)10000 | | | | | |
| 繰越利益剰余金 | | 5600 | | (3)10000 | | | | 15600 |
| 完成工事高 | | 126000 | | (5)269200 | | 395200 | | |
| 雑収入 | | 3180 | | | | 3180 | | |
| 完成工事原価 | 94500 | | (1)900<br>(5)211500 | | 306900 | | | |
| 販売費及び一般管理費 | 18100 | | (4)500 | | 18600 | | | |
| 社債利息 | 200 | | (3)40 | | 240 | | | |
| その他の諸費用 | 1750 | | | | 1750 | | | |
| | 466535 | 466535 | | | | | | |
| 減損損失 | | | (1)1059 | | 1059 | | | |
| 貸倒引当金繰入額 | | | (6)5280 | | 5280 | | | |
| 繰延税金資産 | | | (6)450 | | | | 450 | |
| 為替差損益 | | | | (2)20 | | 20 | | |
| 社債（償還損） | | | (3)10 | | 10 | | | |
| 完成工事未収入金 | | | (5)230000 | | | | 230000 | |
| 未払法人税等 | | | | (8)11818 | | | | 11818 |
| 法人税、住民税及び事業税 | | | (8)19818 | | 19818 | | | |
| 法人税等調整額 | | | | (6)450 | | 450 | | |
| | | | 522058 | 522058 | 353657 | 398850 | 365177 | 319984 |
| 当期（純利益） | | | | | 45193 | | | 45193 |
| | | | | | 398850 | 398850 | 365177 | 365177 |

## 決算整理仕訳（単位：千円）

⑴　減価償却と固定資産の減損

ア　減価償却

| （借）未成工事支出金 | 2,100[②] | （貸）機械装置減価償却累計額 | 3,000[①] |
|---|---|---|---|
| 完成工事原価 | 900[③] | | |

①　定額法：(30,000千円－０)÷10年＝3,000千円

②　未成工事支出金＝3,000千円[①]×70％＝2,100千円

③　完成工事原価＝3,000千円[①]×30％＝900千円

イ　固定資産の減損

当該資産から得られる割引前のキャッシュ・フローの総額（8,100千円）が帳簿価額[④]を下回った場合，減損損失を認識する。当該帳簿残高は，以下のように計算できる。

④　帳簿価額＝機械装置30,000千円[※残高試算表]
－機械装置減価償却累計額18,000千円[※残高試算表]－3,000千円[(ア)]
＝9,000千円

・減損損失の判定：割引前のキャッシュ・フローの総額
8,100千円＜帳簿価額9,000千円[④]

∴減損損失を認識する。

減損損失を認識すべきと判定されたので，帳簿価額を回収可能価額（割引後のキャッシュ・フローの総額）まで減額し，当該減少額を減損損失として当期の損失とする。

| （借）減損損失 | 1,059[⑤] | （貸）機械装置 | 1,059 |
|---|---|---|---|

⑤　割引後のキャッシュ・フローの総額7,941千円－帳簿価額9,000千円[④]
＝△1,059千円

⑵　為替差損益

| （借）貸付金 | 20[①] | （貸）為替差損益 | 20 |
|---|---|---|---|

①　{(@117.50円－@115.00円)×(920,000円÷@115.00円)}÷1,000円
＝20千円（差益）

⑶　社債

ア　社債の買入償還（額面10,000千円分）

①　当該買入償還分の社債発行差金＝(@100円－@98円)×10,000千円÷@100円
＝200千円

② 買入償還までの経過年数＝３年

③ 買入償還直前の社債の帳簿価額

＝取得原価＋償却原価法による加算額

＝(@98円×10,000千円÷@100円)

＋(200千円[①]÷償還期限５年×経過年数３年[②])＝9,920千円

上記の計算結果により，本来であれば，当該社債の買入償還時の仕訳は下記のようになる。

| | | | | |
|---|---|---|---|---|
| (借) | 社　債 | 9,920[③] | (貸) 現金預金 | 9,930 |
| | 社債償還損 | 10[※貸借差額] | | |

したがって，買入償還時の仕訳を修正すると，以下の決算整理仕訳が必要となる。

| | | | | |
|---|---|---|---|---|
| (借) | 社債償還損 | 10 | (貸) 社　債 | 10 |

イ　社債の未償還分の処理（額面10,000千円分）

次に，買入償還以外の社債について，社債発行差金の処理を行う必要がある。

④ 当該社債の社債発行差金＝(@100円－@98円)×10,000千円÷@100円＝200千円

⑤ 償却原価法による加算額＝200千円[④]÷償還期限５年＝40千円

| | | | | |
|---|---|---|---|---|
| (借) | 社債利息 | 40 | (貸) 社　債 | 40[⑤] |

ウ　減債積立金の取崩

最後に，減債積立金10,000千円を取り崩し，繰越利益剰余金に振り替える仕訳をする。

| | | | | |
|---|---|---|---|---|
| (借) | 減債積立金 | 10,000 | (貸) 繰越利益剰余金 | 10,000 |

(4) 退職給付引当金の計上

| | | | | |
|---|---|---|---|---|
| (借) | 未成工事支出金 | 230[①] | (貸) 退職給付引当金 | 730 |
| | 販売費及び一般管理費 | 500 | | |

① 月額@160千円×12か月－実際発生額2,150千円＝△230千円（不足）

(5) 当期の完成工事高の計上と当期発生工事原価の振替仕訳

| | | | | |
|---|---|---|---|---|
| (借) | 未成工事受入金 | 39,200[③] | (貸) 完成工事高 | 269,200[②] |
| | 完成工事未収入金 | 230,000[※貸借差額] | | |
| (借) | 完成工事原価 | 211,500 | (貸) 未成工事支出金 | 211,500 |

① 前期までの完成工事高＝工事収益総額960,000千円

$$\times 工事進捗率\frac{147{,}000千円+189{,}000千円}{700{,}000千円}$$

＝460,800千円

② 当期の完成工事高＝工事収益総額1, 000, 000千円

$$\times 工事進捗率\frac{147,000千円+189,000千円+211,500千円}{750,000千円}$$

－前期までの完成工事高460, 800千円[①]＝269, 200千円

③ 当期首の未成工事受入金残高

＝(300, 000千円＋200, 000千円)－前期までの完成工事高460, 800千円[①]

＝39, 200千円（残高試算表）

(6) 貸倒引当金の計上と税効果会計

| | | | | |
|---|---|---|---|---|
| （借） | 貸倒引当金繰入額 | 5, 280 | （貸） | 貸倒引当金 | 5, 280[①] |

① (受取手形49, 000千円＋完成工事未収入金230, 000千円[(5)])×２％

－帳簿残高300千円

＝5, 280千円

| | | | | | |
|---|---|---|---|---|---|
| （借） | 繰延税金資産 | 450[②] | （貸） | 法人税等調整額 | 450 |

② 繰延税金資産＝税務上の損金不算入額1, 500千円×税率30％＝450千円

(7) 完成工事補償引当金の計上

| | | | | | |
|---|---|---|---|---|---|
| （借） | 未成工事支出金 | 951 | （貸） | 完成工事補償引当金 | 951[①] |

① (残高試算表126, 000千円＋269, 200千円[(5)])×0. 5％－帳簿残高1, 025千円

＝951千円

(8) 法人税，住民税及び事業税の計上

| | | | | | |
|---|---|---|---|---|---|
| （借） | 法人税，住民税及び事業税 | 19, 818[④] | （貸） | 仮払法人税等 | 8, 000 |
| | | | | 未払法人税等 | 11, 818[※貸借差額] |

① 総収益：完成工事高395, 200千円＋雑収入3, 180千円＋為替差損益20千円

＝398, 400千円

② 総費用：完成工事原価306, 900千円＋販売費及び一般管理費18, 600千円

＋社債利息240千円＋その他の諸費用1, 750千円＋減損損失1, 059千円

＋貸倒引当金繰入額5, 280千円＋社債償還損10千円＝333, 839千円

③ 損金不算入項目：(6)1, 500千円

④ 法人税，住民税及び事業税：(①398, 400千円－②333, 839千円＋③1, 500千円)

×30％＝19, 818. 3千円≒19, 818千円

(9) 当期純利益の計算（単位：千円）

| | | |
|---|---|---|
| 総　収　益 | | 398,400 |
| 総　費　用 | | 333,839 |
| 税引前当期純利益 | | 64,561 |
| 法人税，住民税及び事業税 | 19,818 | |
| 法人税等調整額 | △450 | 19,368 |
| 当期純利益 | | 45,193 |

実効税率30%に対応

令和4年 3月13日実施

〔第1問〕 退職給付会計に関する以下の問に答えなさい。各問とも指定した字数以内で記入すること。 (20点)

問1 退職給付債務について、退職給付見込額に言及したうえで説明しなさい。(300字)

問2 個別財務諸表と連結財務諸表との間で異なる処理を説明しなさい。(200字)

## 解答&解説

問1

退職給付債務とは、退職給付のうち、認識時点までに発生していると認められる部分を割り引いたものをいう。退職給付債務の計算は、「①退職給付見込額」のうち、「②期末までに発生していると認められる額」を「③割り引いて計算」される。①退職給付見込額とは退職により見込まれる退職給付の総額をいい、当該見込額は合理的に見込まれる退職給付の変動要因（昇給率や脱退率等）を考慮して見積もらなければならない。退職給付見込額のうち、②期末までに発生していると認められる額は、期間定額基準または給付算定式基準によって算定される。③退職給付債務の割引計算における割引率は、安全性の高い債券の利回りを基礎として決定する。

問2

退職給付会計において、個別財務諸表と連結財務諸表との間で異なる処理は、「未認識数理計算上の差異および未認識過去勤務費用」の取扱いである。個別財務諸表では、退職給付債務に「未認識数理計算上の差異および未認識過去勤務費用」を加減した額から、年金資産の額を控除した額を負債として計上する。これに対して、連結財務諸表では、それらを加減せず、退職給付債務から年金資産の額を控除した額を負債として計上する。

問1

退職給付債務とは，一定の期間にわたり労働を提供したこと等の事由に基づいて，退職以後に従業員に支給される給付（退職給付見込額）としての退職給付のうち，認識時点までに発生していると認められるものをいい，割引計算により測定される（「退職給付に係る会計基準」を以下，退職給付会計基準と呼ぶ)。

退職給付見込額は退職給付制度ごとに算定する。退職一時金制度の場合は，従業員の予想退職時期における支給額を見積もる。一方，企業年金の場合は，退職後に支給される年金支給総額を計算する。そして，年度ごとの退職確率および死亡確率を乗じて計算した金額の集計（期待値）をもって，退職給付見込額が算定される。

退職給付債務を求めるには，まず「退職給付見込額」を算定する必要がある。退職給付見込額の算定は，将来の給付に影響を与える要因，すなわち昇給率や脱退率等を考慮して算定される。また，退職規程ではまだ受給権が確定していない従業員についても，すでに提供された労働に見合う額を計算に含めなければならないことに注意する。

退職給付見込額を算定した後は，その金額で当期までに負担すべき金額を計算する。退職給付会計基準は，次の2つの方法を定めている。

| | |
|---|---|
| ① 期間定額基準 | 退職給付見込額について，全勤務期間で除した額を各期の発生額とする方法。 |
| ② 給付算定式基準 | 退職給付制度の給付算定式に従って，各勤務期間に帰属させた給付に基づき見積もった額を，退職給付見込額の各期の発生額とする方法。 |

なお，②給付算定式基準による場合，勤務期間の後期における給付算定式に従った給付が，初期よりも著しく高い水準となるときには，当該期間の給付が均等に生ずるとみなして，補正した給付算定式に従わなければならない。

退職給付見込額について，既に発生している部分を上記基準で求めた後，それを現時点の金額に直すために，割引計算が行われる。この金額が「退職給付債務」である。

割引計算を行うにあたってのポイントは，割引率の確定である。ここでいう割引率としては，安全性の高い債券の利回りを基礎として決定する。割引率の基礎とする安全性の高い債券の利回りとは，期末における国債，政府機関債および優良社債の利回りをいう。

問2

退職給付会計基準の基本的な考え方は，将来の退職給付のうち，当期の負担となる金額を費用計上し，同時に負債を計上することである。これまでは，個別財務諸表と連結財務諸表で同じ会計処理が行われてきたが，現行の退職給付会計基準では，国際的な会計基準とのコンバージェンスにより，異なる処理が行われることとなった。そこで，個別財務諸表と連結財務諸表で内容を対比しておこう。

| | 連結財務諸表 | 個別財務諸表 |
|---|---|---|
| 1 | 退職以後，従業員に支給される退職給付のうち，認識時点（決算期末）までに発生していると認められる退職給付債務を割引計算により算定する。 | 同　左 |
| 2 | 退職給付債務から年金資産の額を控除した額を負債として計上する。 | 退職給付債務に未認識数理計算上の差異および未認識過去勤務費用を加減した額から，年金資産の額を控除した額を負債として計上する。 |
| 3 | 退職給付費用は，勤務費用に利息費用を加算し，期待運用収益を減算し，数理計算上の差異に係る当期の費用処理額および過去勤務費用に係る当期の費用処理額を加算して計算される。 | 同　左 |
| 4 | 数理計算上の差異および過去勤務費用は，原則として各期の発生額について，予想される退職時から現在までの平均的な期間以内の一定の年数で按分した額を毎期費用処理する。 | 同　左 |
| 5 | 当期に発生した未認識数理計算上の差異ならびに当期に発生した未認識過去勤務費用は税効果を調整の上，その他の包括利益を通じて純資産の部に計上する。 | |

上記のように，個別財務諸表と連結財務諸表とで異なる点は，未認識数理計算上の差異および未認識過去勤務費用の取扱いである。これらの項目は，個別財務諸表上は従来どおりオフバランスのままであるのに対して，連結財務諸表上はオンバランスされる。ただし，期間利益計算に影響を与えないように，包括利益計算書のその他の包括利益に計上されることになる。

## 問題

〔第2問〕 費用および費用配分の原則に関する次の文中の［　　］の中に入れるべき最も適当な用語を下記の<用語群>の中から選び、その記号（ア～タ）を解答用紙の所定の欄に記入しなさい。 （14点）

［ 1 ］は期間収益からそれに対応する費用を差し引いて計算される。この対応計算を合理的に行うためには、対応計算に先だって、財・用役の減少部分を収益の獲得活動と関係をもつ部分とそれ以外の部分とに明確に区別しておくことが望ましく、かつ、必要なことはいうまでもない。『企業会計原則』においても、こうした理由から、収益の獲得活動と関係をもつ部分、すなわち「費用」と、それ以外の部分、すなわち「［ 2 ］」とを明確に区別すべきものとしている。

『企業会計原則』の「貸借対照表原則五」は、費用配分の原則について、資産の［ 3 ］を所定の方法に従い、計画的・規則的に各期に配分すべきであるということを要請している。ここにいう「所定の方法」とは、［ 4 ］費用配分の方法をいう。たとえば、棚卸資産原価の配分方法には［ 5 ］、先入先出法、平均原価法などが認められる。また、配分方法の選択については企業の自主的な判断に委ねる立場をとっているが、これを企業による配分方法の恣意的な選択を容認するものと解してはならない。「計画的」とは、合理的な配分計画のもとに企業の［ 6 ］を十分に考慮して適正な［ 1 ］の計算を保証するという意味での妥当な方法の選択を意味する。このようにして選択された配分方法は、［ 7 ］のないかぎり、毎期継続して適用されなければならない。つまり、「規則的」とは、妥当な方法の機械的適用を意味する。

<用語群>

| | | | |
|---|---|---|---|
| ア　損失 | イ　共通性 | ウ　定額法 | エ　正当な理由 |
| オ　購入代価 | カ　期間利益 | キ　損金 | ク　個別法 |
| コ　特殊性 | サ　保守的な | シ　取得原価 | ス　定率法 |
| セ　配当可能利益 | ソ　損益調整の必要性 | タ　一般に公正妥当と認められた | |

## 解答&解説

記号（ア～タ）

| 1 | 2 | 3 | 4 | 5 | 6 | 7 |
|---|---|---|---|---|---|---|
| カ | ア | シ | タ | ク | コ | エ |

［ 1 ］は，「期間収益からそれに対応する費用を差し引いて計算される」という記述により，「期間利益（カ）」が入る。［ 2 ］は，「収益の獲得活動と関係をもたない部分」という主旨から，「損失（ア）」だと推測がつく。

費用配分の原則は，資産の取得原価（費用化される支出）を，「所定の方法」に従い，「計画的・規則的」に各期に配分すべきであるということを要請している。よって，［ 3 ］は，「取得原価（シ）」が適当である。上記のそれぞれの用語の説明をしておく。

・「所定の方法」とは，一般に公正妥当と認められた費用配分の方法を意味している。

・「計画的」とは，合理的な配分計画のもとに企業の特殊性を十分に考慮して適正な期間利益の計算を保証する，そのような意味での妥当な方法の選択を含意する。

・「規則的」とは，妥当な方法の機械的適用を意味する。

これらのことから，[ 4 ]と[ 6 ]の正解の組み合わせは，それぞれ「一般に公正妥当と認められた（タ）」と「特殊性（コ）」になる。そして，合理的な配分計画にもとづいて妥当な方法が選択された場合，その方法は，正当な理由のないかぎり，毎期継続して適用されなければならない。このことから，[ 7 ]は「正当な理由（エ）」だと分かる。

棚卸資産原価の配分方法は，「個別法，先入先出法，移動平均法，総平均法等」があげられるので，[ 5 ]は「個別法（ク）」を選択するとよい。

〔第3問〕 財務会計に関するわが国の基本的な考え方に照らして、以下の会計処理のうち、認められるものには「A」、認められないものには「B」を解答用紙の所定の欄に記入しなさい。（16点）

1. 期首に、得意先への証票発行事務の時間的ならびに経済的負担軽減を目的として専用のソフトウェアを購入した。その目的は十分に達成されていると判断できたので、当該ソフトウェアの購入費を無形固定資産として貸借対照表に計上した。
2. 企業会計原則における真実性の原則は、企業の公開する財務諸表の内容に虚偽があってはならないことを要請するものであるので、会計ルールの選択の仕方や会計担当者の判断の仕方によって表現する数値が異なることは認められない。
3. 工事用の機械を購入するにあたり銀行から資金を借り入れた。借入に対する支払利息を、付随費用として、当該機械の取得原価に含めることとした。
4. 当社は営業用の車両をすべてリース契約により取得している。当該リース契約は中途解約不能であるが、定期的な車両メンテナンスおよび自動車検査登録制度（車検）に係る費用はすべてリース会社が負担することとなっているため、当該リース契約をオペレーティング・リースとして処理している。
5. 市場開拓のための支出を繰延経理してきたが、経営方針を変更し、来期首より当該市場から撤退することになったので、当年度決算において未償却残高を一括償却することにした。
6. 企業会計原則は、株主資本を資本金と剰余金に区別するとともに、剰余金を資本剰余金と利益剰余金の2つに分けている。会社計算規則などの現行会計制度ではさらに細かく、資本剰余金を資本準備金とその他資本剰余金に、利益剰余金を利益準備金とその他利益剰余金に区分している。
7. 自己株式を割り当てることによって増資をしたが、その際に発生した自己株式の帳簿価額と払込金額との差額については、当期の損益として損益計算書に計上した。
8. 連結対象である在外子会社の財務諸表の換算に際して換算差額が生じたので、為替換算調整勘定として、連結貸借対照表のその他の包括利益累計額の部に計上した。

## 解答&解説

記号（AまたはB）

| 1 | 2 | 3 | 4 | 5 | 6 | 7 | 8 |
|---|---|---|---|---|---|---|---|
| A | B | B | A | A | A | B | A |

| 問題 | 正解 | 解　説 |
|---|---|---|
| 1 | A | 社内利用のソフトウェアについては，完成品を購入した場合のように，その利用により将来の収益獲得又は費用削減が確実であると認められる場合には，当該ソフトウェアの取得に要した費用を無形固定資産として計上しなければならない。 |
| 2 | B | 真実性の原則の真実とは，絶対的な真実ではなく，相対的な真実を意味している。よって，同一企業の経済活動を表現する場合，会計ルールの選択の仕方や会計担当者の判断の仕方によって表現する数値が異なることは認められている。 |
| 3 | B | 当該固定資産購入のための借入金利息は，付随費用に該当しない。したがって，当該固定資産の取得原価に借入金利息は算入しない。 |
| 4 | A | ファイナンス・リース取引の要件の一つに「当該リース物件の使用に伴って生ずるコストを実質的に負担すること」がある。しかし，当該取引では「定期的な車両メンテナンス等のコストは，リース会社が負担する」ことになっており，ファイナンス・リース取引の要件を満たしていない。よって，当該取引をオペレーティング・リース取引として処理することになる。 |
| 5 | A | 支出の効果が期待されなくなった繰延資産は，その未償却残高を一時に償却しなければならない。 |
| 6 | A | 本文のとおり。 |
| 7 | B | 自己株式処分差益はその他資本剰余金に計上し，自己株式処分差損はその他資本剰余金から減額する。 |
| 8 | A | その他の包括利益の内訳項目は，その内容に基づいて，その他有価証券評価差額金，繰延ヘッジ損益，為替換算調整勘定，退職給付に係る調整額等に区分して表示する。 |

## 問題

〔第4問〕 当社（決算日：3月31日）は、次の<条件>で甲リース会社から機械装置をリース（ファイナンス・リース）した。これを基に、下の問1～問4に解答しなさい。ただし、使用する勘定科目は下記の<勘定科目群>から選び、その記号（ア～ス）と勘定科目を書くこと。なお、当社における減価償却の記帳は間接記入法によっている。（14点）

<条件>

① 所有権移転条項、割安購入選択権ともになし。
② 解約不能のリース取引で契約期間は12年である。
③ リース料の総額は¥36,000,000で、支払いは1年分のリース料（均等額）を毎期末日に現金で支払う。
④ リース取引開始日は20×1年4月1日である。
⑤ リース物件（機械装置）の経済的耐用年数は15年である。
⑥ 当社の減価償却方法は定率法（15年の償却率0.133、改定償却率0.143、保証率0.04565）である。
⑦ リース料に含まれる利息相当額は¥1,800,000で、定額法により各期に配分する。

問1 リース取引開始日（20×1年4月1日）の仕訳を答えなさい。

問2 20×2年3月31日におけるリース料支払い時の仕訳を答えなさい。

問3 20×2年3月31日決算時の仕訳を答えなさい。

問4 <条件>①を「リース物件の所有権は、リース期間終了時に賃借人に移転する。」とした場合、20×2年3月31日決算時の仕訳を答えなさい。

<勘定科目群>

| | | | |
|---|---|---|---|
| ア リース資産 | イ 工事未払金 | ウ 前払費用 | エ 減損損失 |
| オ 支払利息 | カ リース債務 | キ 現金 | ク 減価償却累計額 |
| コ 支払手形 | サ 減価償却費 | シ 支払手数料 | ス 短期借入金 |

## 解答&解説

記号（ア～ス）も必ず記入のこと

| | 借方 | | | 貸方 | | |
|---|---|---|---|---|---|---|
| | 記号 | 勘定科目 | 金額 | 記号 | 勘定科目 | 金額 |
| 問1 | ア | リース資産 | 34200000 | カ | リース債務 | 34200000 |
| 問2 | カ<br>オ | リース債務<br>支払利息 | 2850000<br>150000 | キ | 現　　金 | 3000000 |
| 問3 | サ | 減価償却費 | 2850000 | ク | 減価償却累計額 | 2850000 |
| 問4 | サ | 減価償却費 | 4548600 | ク | 減価償却累計額 | 4548600 |

問1

借手は，リース取引開始日に，通常の売買取引に係る方法に準じた会計処理を行う。つまり，リース物件とこれに係る債務を，リース資産勘定（資産）およびリース債務勘定（負債）として計上する。ただし，それらの額を算定するにあたって，リース料総額の中に含まれている利息相当額は，リース料総額から控除しなければならないことに注意すること。

（借）リース資産　34,200,000※　（貸）リース債務　34,200,000※

※リース料総額￥36,000,000－利息相当額￥1,800,000＝￥34,200,000

問2

利息相当額の各期間への配分方法は，問題の指示どおり，定額法により配分する。

（借）リース債務　　　　2,850,000[※1]　（貸）現　　金　　　　3,000,000[※3]
　　　支払利息　　　　　　150,000[※2]

※１：￥34,200,000[問1]÷契約期間12年＝￥2,850,000

※２：利息相当額￥1,800,000÷契約期間12年＝￥150,000

※３：リース料総額￥36,000,000÷契約期間12年＝￥3,000,000

問３

所有権移転外ファイナンス・リース取引における，リース資産の減価償却費は，リース期間を耐用年数とし，残存価額をゼロとして算定する。

（借）減価償却費　　　　2,850,000[※]　（貸）減価償却累計額　　　　2,850,000

※（￥34,200,000[問1]－￥０）÷契約期間12年＝￥2,850,000

問４

所有権移転ファイナンス・リース取引における，リース資産の減価償却費は，自己所有の固定資産に適用する減価償却方法と同一の方法により算定する。よって，当該減価償却費は，経済的耐用年数15年の定率法（償却率0.133）により計算を行う。

（借）減価償却費　　　　4,548,600[※]　（貸）減価償却累計額　　　　4,548,600

※定率法：（￥34,200,000[問1]－￥０）×償却率0.133＝￥4,548,600

〔第５問〕　次の<決算整理事項等>に基づき、解答用紙に示されている佐賀建設株式会社の当会計年度（20×7年4月1日～20×8年3月31日）に係る精算表を完成しなさい。

ただし、計算過程で端数が生じた場合は、千円未満の端数を切り捨てること。なお、整理の過程で新たに生じる勘定科目で、精算表上に指定されている科目は、そこに記入すること。（36点）

<決算整理事項等>

⑴　機械装置は、20×1年4月1日に取得し、同日より使用を開始したものであり、取得した時点での条件は次のとおりである。

取得原価　46,000千円　　残存価額　ゼロ　　耐用年数　10年　　減価償却方法　定額法

この資産について、期末に減損の兆候が見られたため、割引前のキャッシュ・フローの総額を見積もったところ、12,000千円であった。また、割引後のキャッシュ・フローの総額は11,314千円と算定され、これは正味売却価額よりも大きかった。なお、減価償却費は未成工事支出金に計上し、減損損失は機械装置減損損失に計上すること。

⑵　貸付金2,000千円のうち1,500千円は、１ドル＝100円の時に貸し付けたものである。期末時点の為替レートは、１ドル＝110円である。

⑶　有価証券はすべて当期首に@98.0円で購入したA社社債（額面総額18,000千円 年利3.0％ 利払日 毎年9月と3月の末日 償還期日20×9年3月31日）である。この社債はその他有価証券に分類されており、期末の時価は17,910千円である。償却原価法（定額法）を適用するとともに評価替えを行う。また、実効税率を30％として税効果会計を適用する。

⑷　退職給付引当金への当期繰入額は3,820千円であり、このうち3,260千円は工事原価、560千円は販売費及び一般管理費である。なお、現場作業員の退職給付引当金については、月次原価計算で月額260千円の予定計算を実施しており、20×8年3月までの毎月の予定額は、未成工事支出金の借方と退職給付引当金の貸方にすでに計上されている。この予定計上額と実際発生額との差額は工事原価に加減する。

⑸　期末時点で施工中の工事は次の工事だけであり、収益認識には原価比例法による工事進行基準を適用している。

工事期間は4年（20×5年4月1日～20×9年3月31日）、当初契約時の工事収益総額は750,000千円、工事原価総額の見積額は600,000千円で、前受金として着手前に200,000千円、第2期末に150,000千円をそれぞれ受領している。

当期末までの工事原価発生額は、第1期が125,000千円、第2期が135,000千円、第3期が240,000千円であった。資材価格と人件費の高騰により、第3期首に工事原価総額の見積りを650,000千円に変更するとともに、交渉により、請負工事代金総額を780,000千円とすることが認められた。

⑹　受取手形と完成工事未収入金の期末残高に対して2％の貸倒引当金を設定する（差額補充法）。このうち1,300千円については税務上損金算入が認められないため、実効税率を30％として税効果会計を適用する。

⑺　当期の完成工事高に対して0.5％の完成工事補償引当金を設定する（差額補充法）。

⑻　法人税、住民税及び事業税と未払法人税等を計上する。なお、実効税率は30％とする。

⑼　税効果を考慮した上で、当期純損益を計上する。

# 精　算　表

（単位：千円）

| 勘定科目 | 残高試算表 | | 整理記入 | | 損益計算書 | | 貸借対照表 | |
|---|---|---|---|---|---|---|---|---|
| | 借方 | 貸方 | 借方 | 貸方 | 借方 | 貸方 | 借方 | 貸方 |
| 現金預金 | 5235 | | | | | | 5235 | |
| 受取手形 | 18000 | | | | | | 18000 | |
| 完成工事未収入金 | 52800 | | (5) 250000 | | | | 302800 | |
| 貸倒引当金 | | 525 | | (6) 5891 | | | | 6416 |
| 貸付金 | 2000 | | (2) 150 | | | | 2150 | |
| 未成工事支出金 | 233342 | | (1) 4600<br>(4) 140<br>(7) 1918 | (5) 240000 | | | | |
| 仮払法人税等 | 10300 | | | (8) 10300 | | | | |
| 機械装置 | 46000 | | | (1) 2486 | | | 43514 | |
| 機械装置減価償却累計額 | | 27600 | | (1) 4600 | | | | 32200 |
| 土地 | 36000 | | | | | | 36000 | |
| 投資有価証券 | 17640 | | (3) 180<br>(3) 90 | | | | 17910 | |
| その他の諸資産 | 19396 | | | | | | 19396 | |
| 工事未払金 | | 39728 | | | | | | 39728 |
| 未成工事受入金 | | 25000 | (5) 25000 | | | | | |
| 完成工事補償引当金 | | 868 | | (7) 1918 | | | | 2786 |
| 退職給付引当金 | | 45632 | | (4) 140<br>(4) 560 | | | | 46332 |
| その他の諸負債 | | 22870 | | | | | | 22870 |
| 資本金 | | 200000 | | | | | | 200000 |
| 資本準備金 | | 21000 | | | | | | 21000 |
| 利益準備金 | | 15000 | | | | | | 15000 |
| 繰越利益剰余金 | | 2000 | | | | | | 2000 |
| 完成工事高 | | 282300 | | (5) 275000 | | 557300 | | |
| 雑収入 | | 1243 | | | | 1243 | | |
| 有価証券利息 | | 540 | | (3) 180 | | 720 | | |
| 完成工事原価 | 223600 | | (5) 240000 | | 463600 | | | |
| 販売費及び一般管理費 | 17358 | | (4) 560 | | 17918 | | | |
| その他の諸費用 | 2635 | | | | 2635 | | | |
| | 684306 | 684306 | | | | | | |
| 機械装置減損損失 | | | (1) 2486 | | 2486 | | | |
| 為替差損益 | | | | (2) 150 | | 150 | | |
| 貸倒引当金繰入額 | | | (6) 5891 | | 5891 | | | |
| その他有価証券評価差額金 | | | | (3) 63 | | | | 63 |
| 繰延税金資産 | | | (6) 390 | | | | 390 | |
| 繰延税金負債 | | | | (3) 27 | | | | 27 |
| 未払法人税等 | | | | (8) 10154 | | | | 10154 |
| 法人税、住民税及び事業税 | | | (8) 20454 | | 20454 | | | |
| 法人税等調整額 | | | | (6) 390 | | 390 | | |
| | | | 551859 | 551859 | 512984 | 559803 | 445395 | 398576 |
| 当期（純利益） | | | | | 46819 | | | 46819 |
| | | | | | 559803 | 559803 | 445395 | 445395 |

## 決算整理仕訳（単位：千円）

(1) 減価償却と固定資産の減損

（ア） 減価償却

（借）未成工事支出金　4,600① （貸）機械装置減価償却累計額　4,600

①定額法：(46,000－０)÷10年＝4,600

（イ） 固定資産の減損

当該資産から得られる割引前将来キャッシュ・フローの総額が帳簿価額を下回った場合，減損損失を認識する。当該帳簿残高は，以下のように計算できる。

②帳簿価額＝機械装置46,000※残高試算表－機械装置減価償却累計額27,600※残高試算表－4,600(ア)
＝13,800

減損損失の判定：割引前キャッシュ・フローの総額12,000＜帳簿価額13,800②

∴減損損失を認識する

減損損失を認識すべきと判定されたので，帳簿価額を回収可能価額（割引後のキャッシュ・フローの総額）まで減額し，当該減少額を減損損失として当期の損失とする。

（借）機械装置減損損失　2,486③ （貸）機械装置　2,486

③割引後のキャッシュ・フローの総額11,314－帳簿価額13,800②＝△2,486

(2) 為替差損益

（借）貸付金　150① （貸）為替差損益　150

① {(@110円－@100円)×(1,500,000円÷@100円)}÷1,000円＝150千円（差益）

(3) 投資有価証券の評価

（ア） 償却原価法

（借）投資有価証券　180 （貸）有価証券利息　180①

①（額面総額18,000－取得原価17,640※残高試算表）÷償還期間２年＝180

（イ） 評価損益

（借）投資有価証券　90② （貸）その他有価証券評価差額金　63※貸借差額
　　　　　　　　　　　　　　　　繰延税金負債　27③

②評価益：時価17,910－残高試算表17,640－180(ア)＝90

③繰延税金負債：評価益90②×税率30％＝27

(4)　退職給付引当金の計上

（借）未成工事支出金　140[①]　（貸）退職給付引当金　140

①月額@260×12か月－実際発生額3,260＝△140（不足）

（借）販売費及び一般管理費　560　（貸）退職給付引当金　560

(5)　当期の完成工事高の計上と当期発生工事原価の振替仕訳

（借）未成工事受入金　25,000[③]　（貸）完成工事高　275,000[②]

完成工事未収入金　250,000[※貸借差額]

（借）完成工事原価　240,000　（貸）未成工事支出金　240,000

①前期までの完成工事高：工事収益総額750,000×工事進捗率$\frac{125,000+135,000}{600,000}$

＝325,000

②当期の完成工事高：工事収益総額780,000×工事進捗率$\frac{125,000+135,000+240,000}{650,000}$

－前期までの完成工事高325,000[①]＝275,000

③当期首の未成工事受入金残高：(200,000＋150,000)－前期までの完成工事高325,000[①]

＝25,000（残高試算表）

(6)　貸倒引当金の計上と税効果会計

（借）貸倒引当金繰入額　5,891　（貸）貸倒引当金　5,891[①]

①（受取手形18,000＋完成工事未収入金52,800＋250,000[(5)]）×２％－帳簿残高525＝5,891

（借）繰延税金資産　390[②]　（貸）法人税等調整額　390

②繰延税金資産＝税務上の損金不算入額1,300×税率30％＝390

(7)　完成工事補償引当金の計上

（借）未成工事支出金　1,918　（貸）完成工事補償引当金　1,918[①]

①（残高試算表282,300＋275,000[(5)]）×0.5％－帳簿残高868＝1,918.5≒1,918

(8)　法人税，住民税及び事業税の計上

（借）法人税，住民税及び事業税　20,454[④]　（貸）仮払法人税等　10,300

未払法人税等　10,154[※貸借差額]

①総収益：完成工事高557,300＋雑収入1,243＋有価証券利息720＋為替差損益150

＝559, 413

②総費用：完成工事原価463, 600＋販売費及び一般管理費17, 918＋その他の諸費用
2, 635＋機械装置減損損失2, 486＋貸倒引当金繰入額5, 891＝492, 530

③損金不算入項目：(6)1, 300

④法人税，住民税及び事業税：(①559, 413－②492, 530＋③1, 300)×30%＝20, 454. 9
≒20, 454

(9) 当期純利益の計算

| | | |
|---|---|---|
| 総　収　益 | | 559, 413 |
| 総　費　用 | | 492, 530 |
| 税引前当期純利益 | | 66, 883 |
| 法人税，住民税及び事業税 | 20, 454 | |
| 法人税等調整額 | △390 | 20, 064 |
| 当期純利益 | | 46, 819 |

# 解答用紙



○コピーしてご使用ください（本試験の用紙サイズは「Ｂ４」となります）。
○解答用紙は、一般財団法人建設業振興基金のホームページからもダウンロードできます。

## 解答用紙

〔第1問〕　解答にあたっては、各問とも指定した字数以内（句読点を含む）で記入すること。

問1

得点

問2

〔第2問〕

記号（ア～チ）

| 1 | 2 | 3 | 4 | 5 | 6 | 7 |
|---|---|---|---|---|---|---|
| | | | | | | |

〔第3問〕

記号（AまたはB）

| 1 | 2 | 3 | 4 | 5 | 6 | 7 | 8 |
|---|---|---|---|---|---|---|---|
| | | | | | | | |

〔第4問〕

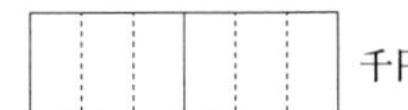 千円

問2 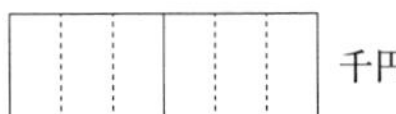 千円

 千円

〔第5問〕

# 精　算　表

（単位：千円）

| 勘定科目 | 残高試算表 |  | 整理記入 |  | 損益計算書 |  | 貸借対照表 |  |
|---|---|---|---|---|---|---|---|---|
|  | 借方 | 貸方 | 借方 | 貸方 | 借方 | 貸方 | 借方 | 貸方 |
| 現金預金 | 7153 |  |  |  |  |  |  |  |
| 受取手形 | 24000 |  |  |  |  |  |  |  |
| 完成工事未収入金 | 36500 |  |  |  |  |  |  |  |
| 貸倒引当金 |  | 250 |  |  |  |  |  |  |
| 未成工事支出金 | 250460 |  |  |  |  |  |  |  |
| 仮払法人税等 | 8600 |  |  |  |  |  |  |  |
| 機械装置 | 80000 |  |  |  |  |  |  |  |
| 機械装置減価償却累計額 |  | 16000 |  |  |  |  |  |  |
| 土地 | 20000 |  |  |  |  |  |  |  |
| 定期預金 | 30000 |  |  |  |  |  |  |  |
| 投資有価証券 | 17000 |  |  |  |  |  |  |  |
| その他の諸資産 | 11582 |  |  |  |  |  |  |  |
| 工事未払金 |  | 36168 |  |  |  |  |  |  |
| 未成工事受入金 |  | 50000 |  |  |  |  |  |  |
| 完成工事補償引当金 |  | 1216 |  |  |  |  |  |  |
| 退職給付引当金 |  | 124793 |  |  |  |  |  |  |
| その他の諸負債 |  | 20684 |  |  |  |  |  |  |
| 資本金 |  | 180000 |  |  |  |  |  |  |
| 資本準備金 |  | 15000 |  |  |  |  |  |  |
| 利益準備金 |  | 8000 |  |  |  |  |  |  |
| 繰越利益剰余金 |  | 3000 |  |  |  |  |  |  |
| 完成工事高 |  | 312600 |  |  |  |  |  |  |
| 完成工事原価 | 259800 |  |  |  |  |  |  |  |
| 受取利息 | 600 |  |  |  |  |  |  |  |
| 雑収入 |  | 1863 |  |  |  |  |  |  |
| 販売費及び一般管理費 | 20089 |  |  |  |  |  |  |  |
| その他の諸費用 | 3790 |  |  |  |  |  |  |  |
|  | 769574 | 769574 |  |  |  |  |  |  |
| 固定資産除却損 |  |  |  |  |  |  |  |  |
| 未収利息 |  |  |  |  |  |  |  |  |
| 貸倒引当金繰入額 |  |  |  |  |  |  |  |  |
| その他有価証券評価差額金 |  |  |  |  |  |  |  |  |
| 繰延税金資産 |  |  |  |  |  |  |  |  |
| 繰延税金負債 |  |  |  |  |  |  |  |  |
| 未払法人税等 |  |  |  |  |  |  |  |  |
| 法人税、住民税及び事業税 |  |  |  |  |  |  |  |  |
| 法人税等調整額 |  |  |  |  |  |  |  |  |
|  |  |  |  |  |  |  |  |  |
| 当期（　　　　） |  |  |  |  |  |  |  |  |
|  |  |  |  |  |  |  |  |  |

# 第33回　解答用紙

〔第１問〕　解答にあたっては、各問とも指定した字数以内（句読点を含む）で記入すること。

問１

| 得点 | |
|---|---|

問２

〔第 2 問〕

記号（ア～チ）

| 1 | 2 | 3 | 4 | 5 | 6 | 7 | 8 |
|---|---|---|---|---|---|---|---|
| | | | | | | | |

〔第 3 問〕

記号（AまたはB）

| 1 | 2 | 3 | 4 | 5 | 6 | 7 | 8 |
|---|---|---|---|---|---|---|---|
| | | | | | | | |

〔第 4 問〕

①  千円

② 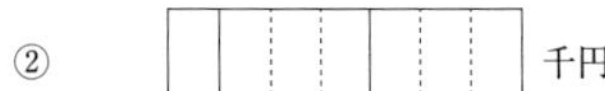 千円

③ 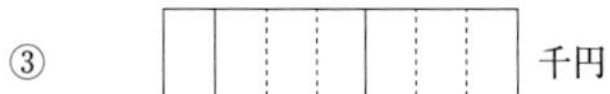 千円

④ 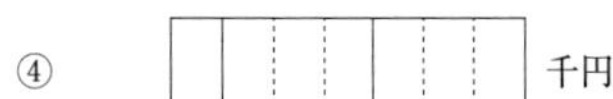 千円

⑤ 千円

⑥ 千円

⑦ 千円

〔第5問〕

# 精　算　表

（単位：千円）

| 勘定科目 | 残高試算表 | | 整理記入 | | 損益計算書 | | 貸借対照表 | |
|---|---|---|---|---|---|---|---|---|
| | 借方 | 貸方 | 借方 | 貸方 | 借方 | 貸方 | 借方 | 貸方 |
| 現金預金 | 7296 | | | | | | | |
| 受取手形 | 12000 | | | | | | | |
| 完成工事未収入金 | 26300 | | | | | | | |
| 貸倒引当金 | | 216 | | | | | | |
| 貸付金 | 5000 | | | | | | | |
| 未成工事支出金 | 231237 | | | | | | | |
| 仮払法人税等 | 9800 | | | | | | | |
| 機械装置 | 34000 | | | | | | | |
| 機械装置減価償却累計額 | | 13600 | | | | | | |
| 土地 | 24000 | | | | | | | |
| 投資有価証券 | 14775 | | | | | | | |
| その他の諸資産 | 10095 | | | | | | | |
| 工事未払金 | | 33661 | | | | | | |
| 未成工事受入金 | | 30000 | | | | | | |
| 完成工事補償引当金 | | 467 | | | | | | |
| 退職給付引当金 | | 26652 | | | | | | |
| その他の諸負債 | | 21897 | | | | | | |
| 資本金 | | 180000 | | | | | | |
| 資本準備金 | | 18000 | | | | | | |
| 利益準備金 | | 16000 | | | | | | |
| 繰越利益剰余金 | | 3200 | | | | | | |
| 完成工事高 | | 216530 | | | | | | |
| 雑収入 | | 1157 | | | | | | |
| 有価証券利息 | | 150 | | | | | | |
| 完成工事原価 | 165859 | | | | | | | |
| 販売費及び一般管理費 | 18632 | | | | | | | |
| その他の諸費用 | 2536 | | | | | | | |
| | 561530 | 561530 | | | | | | |
| 機械装置減損損失 | | | | | | | | |
| 為替差損益 | | | | | | | | |
| 貸倒引当金繰入額 | | | | | | | | |
| その他有価証券評価差額金 | | | | | | | | |
| 繰延税金資産 | | | | | | | | |
| 未払法人税等 | | | | | | | | |
| 法人税、住民税及び事業税 | | | | | | | | |
| 法人税等調整額 | | | | | | | | |
| | | | | | | | | |
| 当期（　　　） | | | | | | | | |
| | | | | | | | | |

# 解答用紙

〔第１問〕　解答にあたっては、各問とも指定した字数以内（句読点を含む）で記入すること。

問１

| 得点 | |
|---|---|

問２

〔第２問〕

記号（ア～ネ）

| 1 | 2 | 3 | 4 | 5 | 6 | 7 |
|---|---|---|---|---|---|---|
| | | | | | | |

〔第３問〕

記号（ＡまたはＢ）

| 1 | 2 | 3 | 4 | 5 | 6 | 7 | 8 |
|---|---|---|---|---|---|---|---|
| | | | | | | | |

〔第４問〕

記号（ア～チ）も必ず記入のこと

| | | 借方 | | | 貸方 | | |
|---|---|---|---|---|---|---|---|
| | | 記号 | 勘定科目 | 金額 | 記号 | 勘定科目 | 金額 |
| 問１ | ＪＶ | | | | | | |
| | Ａ社 | | | | | | |
| 問２ | ＪＶ | | | | | | |
| | Ｂ社 | | | | | | |
| 問３ | ＪＶ | | | | | | |
| | Ｂ社 | | | | | | |
| 問４ | ＪＶ | | | | | | |
| | Ａ社 | | | | | | |
| 問５ | ＪＶ | | | | | | |
| | Ａ社 | | | | | | |

〔第5問〕

# 精　算　表

(単位：千円)

| 勘定科目 | 残高試算表 | | 整理記入 | | 損益計算書 | | 貸借対照表 | |
|---|---|---|---|---|---|---|---|---|
| | 借方 | 貸方 | 借方 | 貸方 | 借方 | 貸方 | 借方 | 貸方 |
| 現金預金 | 6923 | | | | | | | |
| 受取手形 | 28000 | | | | | | | |
| 完成工事未収入金 | 58200 | | | | | | | |
| 貸倒引当金 | | 1032 | | | | | | |
| 未成工事支出金 | 195068 | | | | | | | |
| 仮払法人税等 | 5600 | | | | | | | |
| 仮払金 | 1050 | | | | | | | |
| 機械装置 | 80863 | | | | | | | |
| 機械装置減価償却累計額 | | 51092 | | | | | | |
| 資産除去債務 | | 971 | | | | | | |
| 土地 | 20000 | | | | | | | |
| 投資有価証券 | 19600 | | | | | | | |
| その他の諸資産 | 33563 | | | | | | | |
| 仮受金 | | 2120 | | | | | | |
| 工事未払金 | | 41688 | | | | | | |
| 未成工事受入金 | | 65000 | | | | | | |
| 完成工事補償引当金 | | 823 | | | | | | |
| 退職給付引当金 | | 106124 | | | | | | |
| その他の諸負債 | | 38865 | | | | | | |
| 資本金 | | 100000 | | | | | | |
| 資本準備金 | | 15000 | | | | | | |
| 利益準備金 | | 3000 | | | | | | |
| 繰越利益剰余金 | | 2000 | | | | | | |
| 完成工事高 | | 285000 | | | | | | |
| 完成工事原価 | 228240 | | | | | | | |
| 有価証券利息 | | 400 | | | | | | |
| 雑収入 | | 1088 | | | | | | |
| 販売費及び一般管理費 | 30496 | | | | | | | |
| その他の諸費用 | 6600 | | | | | | | |
| | 714203 | 714203 | | | | | | |
| 利息費用 | | | | | | | | |
| 履行差額 | | | | | | | | |
| 固定資産売却（　　） | | | | | | | | |
| 固定資産除却損 | | | | | | | | |
| 貸倒引当金繰入額 | | | | | | | | |
| その他有価証券評価差額金 | | | | | | | | |
| 繰延税金資産 | | | | | | | | |
| 繰延税金負債 | | | | | | | | |
| 未払法人税等 | | | | | | | | |
| 法人税、住民税及び事業税 | | | | | | | | |
| 法人税等調整額 | | | | | | | | |
| | | | | | | | | |
| 当期（　　　　） | | | | | | | | |
| | | | | | | | | |

# 第31回 解答用紙

〔第１問〕 解答にあたっては、各問とも指定した字数以内（句読点を含む）で記入すること。

問 1

10 20 25

得点

5

問 2

10 20 25

5

10

〔第２問〕

記号（ア～チ）

| 1 | 2 | 3 | 4 | 5 | 6 | 7 |
|---|---|---|---|---|---|---|
| | | | | | | |

〔第３問〕

記号（AまたはB）

| 1 | 2 | 3 | 4 | 5 | 6 | 7 | 8 |
|---|---|---|---|---|---|---|---|
| | | | | | | | |

〔第４問〕

記号（ア～コ）も必ず記入のこと

| | | 借方 | | | 貸方 | | |
|---|---|---|---|---|---|---|---|
| | | 記号 | 勘定科目 | 金額 | 記号 | 勘定科目 | 金額 |
| 問１ | 社債に係る仕訳 | | | | | | |
| | 先渡契約に係る仕訳 | | | | | | |
| 問２ | 社債に係る仕訳 | | | | | | |
| | 先渡契約に係る仕訳 | | | | | | |

〔第５問〕

# 精　算　表

（単位：千円）

| 勘定科目 | 残高試算表 | | 整理記入 | | 損益計算書 | | 貸借対照表 | |
|---|---|---|---|---|---|---|---|---|
| | 借方 | 貸方 | 借方 | 貸方 | 借方 | 貸方 | 借方 | 貸方 |
| 現金預金 | 7689 | | | | | | | |
| 受取手形 | 49000 | | | | | | | |
| 貸倒引当金 | | 300 | | | | | | |
| 貸付金 | 1300 | | | | | | | |
| 未成工事支出金 | 208219 | | | | | | | |
| 機械装置 | 30000 | | | | | | | |
| 機械装置減価償却累計額 | | 18000 | | | | | | |
| 土地 | 15000 | | | | | | | |
| 仮払法人税等 | 8000 | | | | | | | |
| その他の諸資産 | 32777 | | | | | | | |
| 工事未払金 | | 12300 | | | | | | |
| 未成工事受入金 | | 39200 | | | | | | |
| 完成工事補償引当金 | | 1025 | | | | | | |
| 社債 | | 9910 | | | | | | |
| 退職給付引当金 | | 12500 | | | | | | |
| その他の諸負債 | | 83520 | | | | | | |
| 資本金 | | 120000 | | | | | | |
| 資本準備金 | | 13000 | | | | | | |
| 利益準備金 | | 12000 | | | | | | |
| 減債積立金 | | 10000 | | | | | | |
| 繰越利益剰余金 | | 5600 | | | | | | |
| 完成工事高 | | 126000 | | | | | | |
| 雑収入 | | 3180 | | | | | | |
| 完成工事原価 | 94500 | | | | | | | |
| 販売費及び一般管理費 | 18100 | | | | | | | |
| 社債利息 | 200 | | | | | | | |
| その他の諸費用 | 1750 | | | | | | | |
| | 466535 | 466535 | | | | | | |
| 減損損失 | | | | | | | | |
| 貸倒引当金繰入額 | | | | | | | | |
| 繰延税金資産 | | | | | | | | |
| 為替差損益 | | | | | | | | |
| 社債（　　　　） | | | | | | | | |
| 完成工事未収入金 | | | | | | | | |
| 未払法人税等 | | | | | | | | |
| 法人税、住民税及び事業税 | | | | | | | | |
| 法人税等調整額 | | | | | | | | |
| | | | | | | | | |
| 当期（　　　　） | | | | | | | | |
| | | | | | | | | |

# 解答用紙

〔第１問〕　解答にあたっては、各問とも指定した字数以内（句読点を含む）で記入すること。

問１

得点

問２

〔第2問〕

記号（ア～タ）

| 1 | 2 | 3 | 4 | 5 | 6 | 7 |
|---|---|---|---|---|---|---|
| | | | | | | |

〔第3問〕

記号（AまたはB）

| 1 | 2 | 3 | 4 | 5 | 6 | 7 | 8 |
|---|---|---|---|---|---|---|---|
| | | | | | | | |

〔第4問〕

記号（ア～ス）も必ず記入のこと

| | 借方 | | | 貸方 | | |
|---|---|---|---|---|---|---|
| | 記号 | 勘定科目 | 金額 | 記号 | 勘定科目 | 金額 |
| 問1 | | | | | | |
| 問2 | | | | | | |
| 問3 | | | | | | |
| 問4 | | | | | | |

〔第5問〕

# 精　算　表

(単位：千円)

| 勘定科目 | 残高試算表 | | 整理記入 | | 損益計算書 | | 貸借対照表 | |
|---|---|---|---|---|---|---|---|---|
| | 借方 | 貸方 | 借方 | 貸方 | 借方 | 貸方 | 借方 | 貸方 |
| 現金預金 | 5235 | | | | | | | |
| 受取手形 | 18000 | | | | | | | |
| 完成工事未収入金 | 52800 | | | | | | | |
| 貸倒引当金 | | 525 | | | | | | |
| 貸付金 | 2000 | | | | | | | |
| 未成工事支出金 | 233342 | | | | | | | |
| 仮払法人税等 | 10300 | | | | | | | |
| 機械装置 | 46000 | | | | | | | |
| 機械装置減価償却累計額 | | 27600 | | | | | | |
| 土地 | 36000 | | | | | | | |
| 投資有価証券 | 17640 | | | | | | | |
| その他の諸資産 | 19396 | | | | | | | |
| 工事未払金 | | 39728 | | | | | | |
| 未成工事受入金 | | 25000 | | | | | | |
| 完成工事補償引当金 | | 868 | | | | | | |
| 退職給付引当金 | | 45632 | | | | | | |
| その他の諸負債 | | 22870 | | | | | | |
| 資本金 | | 200000 | | | | | | |
| 資本準備金 | | 21000 | | | | | | |
| 利益準備金 | | 15000 | | | | | | |
| 繰越利益剰余金 | | 2000 | | | | | | |
| 完成工事高 | | 282300 | | | | | | |
| 雑収入 | | 1243 | | | | | | |
| 有価証券利息 | | 540 | | | | | | |
| 完成工事原価 | 223600 | | | | | | | |
| 販売費及び一般管理費 | 17358 | | | | | | | |
| その他の諸費用 | 2635 | | | | | | | |
| | 684306 | 684306 | | | | | | |
| 機械装置減損損失 | | | | | | | | |
| 為替差損益 | | | | | | | | |
| 貸倒引当金繰入額 | | | | | | | | |
| その他有価証券評価差額金 | | | | | | | | |
| 繰延税金資産 | | | | | | | | |
| 繰延税金負債 | | | | | | | | |
| 未払法人税等 | | | | | | | | |
| 法人税、住民税及び事業税 | | | | | | | | |
| 法人税等調整額 | | | | | | | | |
| | | | | | | | | |
| 当期(　　　　) | | | | | | | | |
| | | | | | | | | |